BE-BOP

CHRISTIAN GAILLY

BE-BOP

suivi de

Le swing Gailly
par
Jean-Noël Pancrazi

LES ÉDITIONS DE MINUIT

En application de la loi du 11 mars 1957, il est interdit de reproduire
intégralement ou partiellement le présent ouvrage sans autorisation de l'éditeur
ou du Centre français d'exploitation du droit de copie,
20, rue des Grands-Augustins, 75006 Paris.

ISBN 2-7073-1565-6

pour E.J.

ENT. ASSAINISSEMENT
Zone industrielle
Cherche J.H. libre O.M.
Travx pompage. Permis P.L.
Tél. R.d.V.

1.1

Tel qu'il est là dans son coin de chambre, entre le radiateur et la fenêtre, la tête dans le rideau, comme ça, de dos, on pourrait croire qu'il boude, pleure, fait l'idiot, se tord de rire, de douleur, pas du tout, il joue du saxophone alto, le pavillon tout contre le rideau, ça étouffe le son.

Il est très tôt et il est en train d'improviser sur Lover man, une rengaine propre ou de nature à émouvoir les plus durs d'oreille, ça y est, le voisin est ému, il cogne au mur, les coups le réveillent, il s'arrête de jouer, s'arrêter de jouer c'est comme se réveiller, jouer aussi c'est comme se réveiller, c'est aussi comme trouver le sommeil, enfin bref, il se réveille très tôt le matin pour jouer, il joue très tôt le matin parce que le matin très tôt il joue bien, il joue très bien très tôt le matin, très tard le soir aussi, il joue très bien aussi le soir très tard, d'ailleurs très tôt le matin, le soir très tard, c'est la même heure et c'est la même humeur.

Il décroche le sax, ôte son collier, sort le bouchon de sa poche, le glisse sur le bec, ça fait penser au capuchon glissé sur la tête d'un faucon et Basile, c'est son nom, non, son prénom, son nom c'est Lorettu, se demande, c'est bien la première fois qu'il pense à ça, quel rapport il y a entre un bec de sax et une tête de faucon, entre la chasse, la chasse à quoi ?

Il se retourne, le jette sur le lit, le lit est près de la fenêtre, tout est près de la fenêtre, c'est petit, le sax rebondit sur le lit, il le regarde, ne peut plus le blairer d'un seul coup, c'est pas la première fois que ça lui arrive.

C'est bien simple, si c'était un faucon fondant sur les oiseaux plus faibles, plus lents, plus faibles parce que plus lents, il lui tordrait le cou.

Il le saisit, lui tord le col, sépare le col du corps, le corps du col, range, couche corps et col dans la valise, ferme la valise, regrette déjà de l'avoir fermée, avec regret déjà revoit ciselé, non, gravé, aimerait revoir déjà, non, rien, du métal jaune, un fond de velours, rouge, des touches nacrées.

2.1

Il rebondit sur les marches comme une balle qui vous échappe quand on est môme, c'est à cause de ses baskets à bulle, à niveau à bulle, à pompe, à air, comprimé, il les a achetées, non, on verra ça plus tard.

Une fois dehors, à l'air libre, au grand air, l'air de réfléchir, comme s'il se demandait où tout ça va le mener, il se passe la main sur le visage, partout, se frotte les joues, le front, le menton, comme quelqu'un de fatigué qui se frotte le visage, ça fait du bien de sentir une main sur son visage, même la sienne, c'est vrai quand on est grand au point de ne plus être un enfant plus personne ne vous touche le visage, c'est dommage, comme si, en plus de la fatigue, il voulait effacer quelque chose, peut-être son visage d'enfant, ou bien comme s'il voulait se rappeler qu'il a malgré tout un visage, celui de maintenant, avec un front, des joues, il sent sa barbe, se dit si je devais me présenter, remonte se raser.

3.1

Se rasant. Il voit dans le fond de la glace la valise sur le lit. Dans la valise, il imagine le sax, fait même plus que l'imaginer, il voit très bien le sax dans la valise fermée, pas besoin de l'imaginer ouverte, il la voit ouverte.

Il se dit, il faudrait peut-être que j'arrête de jouer comme lui, se corrige, se dit, il faudrait peut-être que j'arrête d'essayer de jouer comme lui, se dit, il faudrait que j'essaie de jouer autrement que lui.

Puis, je ne peux pas passer ma vie, je dis ma vie, mon temps, disons mon temps, à, il n'ose pas prononcer le mot, il n'ose même pas le penser, il l'a pourtant pensé, c'est même pour ça qu'il n'ose pas le prononcer, bon, il l'a pensé, je l'ai pensé, se dit-il, alors qu'il le dise.

Il le dit. Je ne peux pas passer mon temps à l'imiter, c'est même pire que ça, à le copier, c'est même encore pire, à le plagier, c'est honteux, encore que, vas-y, vas-y, dis ce que tu penses.

Je pense, se dit-il, que peut-être il vaut mieux copier un très grand comme Charlie, (Parker), plutôt que d'essayer d'être un grand moi-même sans y arriver, continue, et rester petit, autrement dit ?, mieux vaut être le sosie d'un grand que personne soi-même, autrement dit ?, je veux être Charlie ou rien, bah voilà, il s'est blessé.

Ça pisse. Qu'est-ce qu'il a à pisser comme ça son sang ? Il prend pourtant pas de médicaments pour liquider le sang. Il est pas hémophile au moins ? Ça veut dire quoi, hémophile ? Qui aime le sang au point de le laisser filer. Non, c'est sûrement à cause de la tête. Il avait le sang à la tête. Plein la tête, congestionnée, voilà, congestionnée, j'ai trop soufflé dans le sax, se dit-il devant la glace.

Puis, avec le rideau qui bouche le pavillon, il faut souffler plus fort mais en même temps ça me fait une sonorité, comment dire ?, te fatigue pas, une goutte glisse du menton, tombe sur le tee-shirt, voilà, faut changer de tee-shirt, mettre celui qui est sale mais sans tache.

L'enfilant se dit, non, rien, il a faim, pas un rond, une malheureuse pièce de dix balles, juste de quoi et après on verra, c'est tout vu, faut que je trouve, se dit-il, il faut qu'il trouve de quoi, mais d'abord bouffer quelque chose, un croissant, une tartine, non, j'aurai pas assez, juste un café, et le journal ?, c'est vrai, j'oubliais le journal. Il s'est mis un pansement.

4.1

En passant devant l'église, il regarde la tête navrée des deux saints peints à même le mur de la façade, le mur frontal, le fronton, non, frontispice ?, peu importe, revenons aux saints, s'il te plaît. Si c'est ou si ce sont des saints. Si si mais si ce sont des saints sinon, on ne voit pas pourquoi, il ne voit pas pourquoi on les aurait comme ça fresqués de chaque côté de la porte, le portail. Quoi qu'il en soit, l'air navré des deux saints le fait marrer, ricaner, intérieurement, il se voit lui-même avec la barbe, les cheveux longs, l'air navré.

Il a les cheveux blonds, en brosse comme Mulligan, il ressemble à Gerry Mulligan, il le sait, on lui a déjà dit, il sait aussi que Mulligan maintenant a les cheveux longs, la barbe, il ressemble donc au Mulligan du temps où Mulligan était tout jeune, imberbe, en tee-shirt et en jean.

J'aurais dû jouer du baryton, se dit-il, c'est bien, le baryton, enfin c'est bien quand c'est Mulligan qui en joue et moi, si j'avais joué du baryton, j'aurais sûrement essayé de jouer comme Mulligan, alors si c'est pour jouer du baryton comme Mulligan, se dit-il, je préfère continuer à jouer de l'alto comme Charlie, (Parker), se corrige, se dit, je préfère continuer à essayer de jouer de l'alto comme Charlie, (Parker), de sonner comme, de phraser comme, jusqu'à ce que j'en aie marre, jusqu'à ce que j'aie envie, non, j'aurai jamais envie, pourquoi j'aurais envie, hein ?, pourquoi j'aurais envie ?, je l'aime, moi, Charlie, je suis bien avec lui, j'ai pas envie de changer, je suis très bien comme je suis, d'ailleurs d'ici à ce que j'arrive à jouer aussi bien que lui, se dit-il, marchant dans la petite rue, repoussant l'atmosphère lumineuse du matin, tu crois ?, non, mais c'est joli, une ambiance douce, presque silencieuse, à se pendre, le rêve, un rêve rose, un peu jaune par endroits, par moments vert espoir.

5.1

Il aurait préféré être noir, pas très grand, un peu bedonnant, alcoolique, drogué, malade à crever, américain. Il n'est pas très grand. Il débouche sur la place du général d'empire.

Le général est immense et mince, l'air absent, comme Cécile. Cécile, c'est une grande femme très élégante que Lorettu a rencontrée un soir chez Fernand, un soir qu'il jouait en quintette chez Fernand. Fernand, c'est le gars qui tient le bar là-bas sur la place, un bar effrontément baptisé Bird. Fernand lui aussi est un dingue de Parker, (Charlie), mais pas seulement, il aime aussi énormément Coltrane.

Lorettu se dit, je vais acheter le journal et ensuite j'irai boire un café chez Fernand, s'il est ouvert, il est ouvert, le rideau du bar est déjà levé.

6.1

Chez le marchand, la marchande, c'est une dame, Lorettu prend le journal, donne ses dix balles, prend sa monnaie, et, au lieu de se barrer, comme n'importe qui s'en irait, il reste planté devant la dame, il a envie de parler un peu avec la dame, pourtant la dame n'est pas aimable et le magasin sent l'encre, le papier, la poussière, d'ailleurs non, il n'a pas envie de parler, pourquoi ai-je dit qu'il avait envie de parler ?, sans doute parce que j'avais envie de parler, non, il n'a pas envie de parler, il veut juste entendre le son de la voix de la dame, ne serait-ce que merci, au revoir monsieur, même pas, au revoir jeune homme, ça le gênerait pas, et pendant ce temps-là les secondes passent, au moins trois, c'est long quand on a peur, la dame a peur, elle n'ose pas lui demander s'il désire autre chose, elle attend qu'il s'en aille, elle regarde le pansement sur la joue de Lorettu, se disant ce gars-là s'est battu, je suis bien tranquille, il a donné des coups, il en a reçu, pour en donner ou pour en prendre, faut être là, faut aimer ça.

Je me suis coupé, dit Lorettu. Il décolle son pansement. La dame grimace, ferme les yeux. Il s'est quand même fait une belle entaille. C'est rien, dit-il. Il recolle son pansement. La dame regarde dehors, cherche du regard quelque chose dehors. Lorettu se retourne, regarde aussi dehors, où la dame regarde. Le soleil met du luisant dans les prunelles du général, du relief dans ses favoris, gomine ses boucles.

7.1

Qu'est-ce qui t'est arrivé ? dit Fernand. Je me suis coupé, dit Lorettu, s'attendant à ce que Fernand lui demande en quoi faisant. Ça n'a pas loupé. En quoi faisant ? dit Fernand, s'attendant à ce que Lorettu lui réponde en me rasant. Ça n'a pas loupé. En me rasant, dit Lorettu.

Fernand a une tête de Libanais, un scooter, une barbe de trois jours tous les jours. Le ruban qui lui prend la tête lui donne l'air d'un altiste free. Il a un peu la tête d'Ornette. Il n'est pas altiste du tout. L'alto il adore mais préfère les ténors.

En ce moment d'ailleurs, comme à n'importe quelle heure, sur le pick-up derrière le comptoir à côté de la machine à café, tu me fais un café ?, Coltrane tourne sur un vieux disque noir à étiquette rouge orangé, Lorettu fatigué affamé en frissonne, ça lui pique le crâne, son cuir se mouille de transpiration froide, les racines de sa brosse blonde ont froid, faut dire qu'un son comme ça, un swing comme ça, ça ne s'imite pas, il a déjà essayé, alors ce café tu me le donnes ?

Voilà voilà, dit Fernand. Il le dit deux fois, pas deux fois voilà, deux fois voilà voilà. Voilà-voilà, voilà-voilà. Ça forme un rythme rappelant à Lorettu le début d'un mouvement d'un des quatuors médians de Beethoven, mais lequel ? Fernand ne peut pas l'aider, Nassoy non plus.

Nassoy est là aussi, sa longue carcasse vautrée sur le comptoir, inutile de lui demander, d'ailleurs lui demander quoi ?, si talatala lui rappelle quelque chose ?, qu'est-ce que ça peut lui rappeler à Nassoy ?

Nassoy est un grand maigre au nez cassé, du sparadrap au bout des doigts. Quand il sourit, c'est rare, il a le sourire le plus gentil que le monde ait connu, et visiblement pour le moment, il suffit de regarder sa hanche, sa main immense, une tête carrée avec des yeux qui clignent sur les temps faibles, non, inutile de lui demander, de le déranger pour lui demander, il écoute le batteur et le bassiste, surtout le bassiste, Nassoy est bassiste.

Fernand, lui, il cogne le filtre contre le bord de la poubelle, disant à Lorettu, tu es bien matinal ce matin. On n'est matinal que le matin, dit Nassoy. Oui, oui, oui, dit Fernand, allez, je sais bien ce que je veux dire, Basile aussi, pas vrai Basile ?

Lorettu n'écoute pas, il cherche toujours dans quel quatuor il a entendu le voilà-voilà, jusqu'à ce qu'il entende la soucoupe sur le zinc, puis la tasse pleine sur la soucoupe, puis la cuiller jetée sur le bord de la soucoupe.

Je vais me coucher, dit Nassoy. Salut, dit Fernand, déposant le sucre sur le bord opposé de la soucoupe. Salut, Basile, dit Nassoy. Lorettu fait un signe à Nassoy puis avec son café, son journal, va s'asseoir au fond du bar.

8.1

Maître Vergès aurait été l'émissaire de Carlos.
L'ONU souhaite renforcer le contrôle des naissances. Elias Canetti ou le territoire des hommes. Qui c'est ça, Canetti ? Lorettu pense un instant le demander à Fernand, mais Fernand. Il ressemble un peu à Ornette Coleman. Il est en train d'écrire quelque chose sur un bloc, des comptes probablement, des commandes, des courses à faire.

Les soldats français ne resteront pas un jour de plus au Rwanda. Les casques bleus ghanéens ont commencé à relever les Marsouins. Lorettu lève les yeux, regarde Fernand, l'appelle, lui demande les Marsouins, dans l'armée, qu'est-ce que c'est ? J'en sais rien, dit Fernand, des marins, des fusiliers marins, j'en sais rien, des marins, sûrement des marins. Non parce que moi, dit Lorettu. Fernand n'écoute plus.

Sri-Lanka. La gauche devra s'allier aux élus des minorités. Laos. La triste errance des réfugiés méos. Lorettu lève la tête, non, rien, il en sait sûrement rien. Publicité Contrex. Mon partenaire minceur.

Le pape devrait se rendre à Sarajevo. Les Serbes de Bosnie veulent rançonner la FORPRONU. Pologne. Polémique autour de la nomination d'un ancien communiste. France. Lorettu a faim. Un jeune Savoyard adoptif n'ose pas demander un croissant à Fernand, ou autre chose, un bout de pain, une tartine, même sans beurre. Envoyez vos dons. C.B., C.C.P., S.O.S. charité, et, pour tout obscurcissement supplémentaire, vous tapez : 36-15 tartine.

Nicaragua. Victoire d'un ancien rebelle. La révolution n'est pas morte. Ferme-la. Battue, comme toujours, bafouée, comme d'habitude, trahie, ça va de soi, mais pas morte. Tu la fermes ? Il ferait beau voir. Tu vas la fermer ?, hein ?, tu vas la fermer ? (coups de matraque dans les dents), ça y est, il l'a fermée, vous pouvez continuer, excusez-nous.

Diplomatie parallèle de Charles Pasqua. Trafic de matières radio-actives. Sports. La première médaille d'or de la poursuiteuse. C'est quoi une poursuiteuse ? dit Lorettu. Tu m'emmerdes, dit Fernand, si tu comprends rien à ce que tu lis, arrête de lire, d'ailleurs qu'est-ce que tu fous avec ce journal ?

Lorettu ne répond pas, il a pas envie que

Fernand se foute de lui, il a pas envie d'entendre Fernand lui dire alors tu vois ?, l'air de dire tu te croyais plus fort que les autres. Un mot là-dessus. Lorettu a toujours soutenu, contre Nassoy par exemple qui bosse de nuit, que lui il s'en sortirait avec les bals et les banquets, les communions, les mariages, les baptêmes, les enterrements Nouvelle-Orléans.

Musique. Départ du directeur de l'Opéra de Paris. Lorettu dit, je me fous de l'Opéra, je me fous de Paris, je me fous aussi de l'autre là, comment qu'il s'appelle déjà ?, Canetti, voilà, c'est ça. Fernand lui dit, qu'est-ce que tu dis ? Lorettu dit rien et tourne la page.

Théâtre. Shakespeare et Hiroshima. Economie. L'émancipation de la femme devrait permettre de faire baisser la croissance démographique. Cette fois, il en a marre, fini de reculer, fini de retarder, faut avancer, il tourne, tourne, tombe sur les offres, celle que voici, la lit, se dit tiens, ne dit rien, referme, plie, se lève, met ça dans sa poche, se dirige vers la sortie. Fernand lui dit : On te voit dimanche au monastère ?

9.1

Ses baskets à coussins d'air, version rap des semelles de vent, Lorettu les a achetées à un type parce que le type lui faisait pitié, il est comme ça, l'autre était autrement, il les avait sûrement piquées mais peu importe. Le soleil brille sur la place. Deux voitures se suivant rebondissent sur le ralentisseur. Oh, mon cœur. Lorettu a mal au cœur. Le soleil lui fait mal au cœur. Il relève la tête pour regarder de travers ce soleil qui lui fait mal au cœur. Oh, ma tête. Se tenant la tête, il s'arrête à l'ombre sous la statue.

Le général a le regard perdu dans le lointain, mais alors un lointain, l'air de penser à l'au-delà des planètes, se disant et après ?, est-il possible qu'il n'y ait rien ?, laisse tomber, non, alors comme ça le vide ne prendrait jamais fin ?, one more, alors comme ça le vide ne se termine nulle part ?, on peut foncer, foncer, droit devant, sans jamais rien rencontrer que le vide ?, c'est possible ça ?

Lorettu sort de l'ombre. Il se dirige vers la longue barrière face au lac. La place est au sommet de la ville, bordée de vide côté lac. Face à la barrière, des bancs semblent assis. Il se laisse tomber sur un banc. A ses pieds, il devine le vide, petit comparé à l'autre mais quand même, le vide mais ça va, il le supporte, grâce à ses yeux qui regardent devant eux. Tant qu'il ne baisse pas les yeux, ça va. Il ne les baisse pas. Il regarde le paysage. Faut dire que le paysage. On va y avoir droit.

De cet endroit, on domine. Non, c'est le paysage qui nous domine, l'immensité du lac, les montagnes, c'est vraiment beau. Tout est bleuté, rose, jaune pâle, vert mou. Le tout est dans la brume mais la brume est si légère qu'elle permet d'entrevoir des nappes, des ouates, de l'étoupe bleuie, pâlement jaunie, par endroits, par moments verdie.

Il tire son journal de sa poche arrière de jean, le déplie, l'ouvre à la page, se penche dessus. C'est un garçon penché sur un journal ouvert, un jeune type blond aux bras ouverts, penché sur un journal, relisant une annonce, réfléchissant.

Un couple de vieux vient s'asseoir sur le même banc, à côté de lui, tout près de lui, y a d'autres bancs mais bon, passons. Il sent une drôle d'odeur, tourne la tête, regarde les vieux.

La vieille a sur les genoux un paquet conique ou pyramidal. Elle tire sur la rosette, défait le ruban, ouvre le paquet. Déplié, le papier bleu n'est qu'un vulgaire et grand carré. Inscrite dans le petit, qui tout à l'heure formait la base de la pyramide, une plaque de carton aux bord pliés. Sur la plaque, deux millefeuille, un troisième au-dessus.

La vieille donne un millefeuille au vieux, prend le deuxième, non, le repose, se rendant compte que si elle le prend maintenant elle ne pourra pas avec sa seule main gauche poser le grand papier bien à plat avec le troisième mil-lefeuille au milieu de la plaque, non, excentré, justement, déséquilibrant la plaque, le carton pourtant rigide, faisant vriller sa rigidité, sur le banc à côté d'elle, à sa gauche, hors de la vue de Lorettu, pose à deux mains le paquet déployé sur le banc à sa gauche, reprend son millefeuille, l'approche de sa bouche, ouvre la bouche, recule le millefeuille, regarde le début en louchant, referme la bouche, se tourne vers le vieux.

Il examine le sien, hésite à mordre, regarde la vieille. Elle n'a pas commencé, elle le regarde. Tous deux se regardent. Bah mange, dit la vieille. Bah et toi ? dit le vieux. Il ricane, se tourne vers Lorettu.

Lorettu regarde le millefeuille, puis le vieux, se retient encore un peu puis dit : Vous m'en donnez un petit bout ?, se ressaisit et dit :

Excusez-moi, je voulais pas vous dire ça, faites comme si j'avais rien dit, vous occupez pas de moi, je m'en vais, vous pourrez manger tranquilles, moi personnellement j'ai horreur qu'on me regarde manger, mais je vous regardais pas, j'ai juste comme ça tourné la tête, je partais, j'allais partir, comme font les gens qui se lèvent, il se lève, je voulais pas vous gêner.

Donne-lui le troisième, dit le vieux. Bah et toi ? dit la vieille. Moi, moi, tant pis, je m'en passerai, dit le vieux. Tu dis ça et puis après, dit la vieille. Je te dis de lui donner, dit le vieux. Non, non, dit Lorettu, non, gardez-le. Oui, oh, allez, ça va, arrête, dit le vieux, alors tu lui donnes ?

La vieille regarde le vieux, puis Lorettu, puis le vieux, puis Lorettu, des tas de choses passent dans le regard de la vieille, des tas de pensées ayant trait à toutes sortes de choses ressortissant à la vie, aux années, à l'amitié, à la gloire de la paternité, de la maternité, tout ça passe vite dans le regard d'une vieille, puis donne le beau millefeuille à Lorettu, le lui tend, le faisant passer sous le nez du vieux, le vieux le regarde passer, le suit, puis la main de Lorettu, elle le prend, non, ne le prend pas, il va pas le prendre, se dit-il, si : Merci, vraiment, merci beaucoup, dit Lorettu. Il ouvre la bouche. Au même moment, il entend la voix du vieux.

T'as faim, lui dit le vieux. Oui, dit Lorettu, regardant le début du millefeuille. Lorettu aussi louche en regardant le début. Il ouvre la bouche. Au même moment, la voix du vieux reprend.

T'as pas de travail, dit le vieux. Mangez, mangez, dit Lorettu, ne me regardez pas, ça me gêne. T'en cherches au moins ? dit le vieux. J'en ai trouvé, dit Lorettu, enfin, si ça marche, mais d'après l'annonce. On peut voir ? dit le vieux. Arrête de l'emmerder, dit la vieille, tu vois pas qu'il crève de faim ? T'as raison, dit le vieux, mangeons.

La vieille ouvre grand la bouche. Le vieux mord dans le sien. Lorettu, broyant le début, voit l'arrière se soulever. Le souffle sortant de ses narines lève un nuage de sucre en poudre fine. La crème fout le camp de tous les côtés. C'est bon mais alors. Enfin. Il l'avale en trois bouchées, se suce les doigts, frotte son jean en regardant le paysage, les couleurs ont changé, presque plus de brume, on voit les montagnes.

Et alors, cette annonce ? dit le vieux. Ça pourrait marcher, dit Lorettu. Il prend le journal, l'ouvre à la page, le plie en deux, en quatre, le passe au vieux, lui disant là, tenez, au milieu. Donne-moi mes lunettes, dit le vieux.

La vieille époussette sa robe, elle chasse les miettes de la réserve de tissu pendant entre ses jambes, Lorettu voit la forme des jambes, les genoux surtout, il se demande à quoi ça ressemble plus haut, les cuisses, le ventre, il est gêné de penser à ça puis subitement se souvient de la photo qu'il a vue, chez Cécile dans une revue, la photo d'une vieille femme nue, très vieille, une vieillarde nue, on dit une vieillarde ?, blonde aux yeux bleus, ou gris, ou vert pâle, en noir et blanc, une très belle femme, elle a sûrement été très belle, s'était-il dit et puis elle lui semblait plus propre qu'une jeune, y avait moins de poils, presque plus, mais pas comme les jeunes qui se rasent, et si clairs, ça lui avait semblé si ingénu, ça l'avait ému, t'entends ?, dit le vieux, passe-moi mes lunettes.

La vieille ouvre son sac, fouille. Tu me les as données ?, t'es sûr ? dit-elle. Mais oui, mais oui, cherche bien, dit le vieux. Lorettu a envie de se barrer. Ah oui, les voilà, dit la vieille. Elle les passe au vieux. Voyons voir, dit-il. Il lit, attentivement, prend son temps, redresse la tête, ôte ses lunettes.

Assainissement, tu sais ce que c'est au moins ? dit-il. Pas vraiment, dit Lorettu. Tu vas pomper de la merde toute la journée mon pauvre petit, dit le vieux. Y en aura moins, dit Lorettu. Le vieux le regarde. Faut pas qu'y en ait moins, dit-il, faut qu'y en ait toujours, enfin, réfléchis. Y en aura toujours, dit Lorettu. C'est juste, dit le vieux, c'est juste, enfin quand même, tu te vois toute ta vie pomper de la merde ? Comme ton frère Henri, dit la vieille. Quoi, Henri ?, quoi, Henri ?, qu'est-ce qu'il vient faire là, Henri ?, ne me parle pas d'Henri, hein, tu veux bien ? dit le vieux.

Lorettu a envie de chialer. Il dit, de toute façon, c'est juste comme ça, je ferai pas ça toute ma vie, je suis musicien. Ah bon ? dit le vieux. Il répète ah bon sur différents tons. Ah bon, ah bon. Ah bon. Ah bon ! Ah, bon.

Et alors ? dit-il, pas du tout sur le ton d'on s'en fout, ou d'et puis après, non, sur le ton de celui qui désire en savoir davantage, en fait le vieux veut tout savoir, Lorettu lui dit tout.

Ah, Bud Powell, Kenny Clarke, Sonny Stitt. Bah quoi ? Qu'est-ce que tu crois ? En 50 j'avais quarante ans, et trente en 40. Y sont marrants les jeunes. Ils s'imaginent, dit-il en regardant la vieille. Ils sont surpris quand on leur dit. Aussi surpris qu'un jeune à qui on dit qu'un jour, dit la vieille. C'est pas ça, dit Lorettu, je pensais à Sonny Stitt, la copie conforme de Parker, vous pouvez pas comprendre. Il remet ça, dit le vieux. Il croit que je sais pas qui c'était Sonny Stitt, mais Parker jouait mieux, c'était Parker. Et moi, qui je suis ? dit Lorettu. Qu'est-ce que tu dis ? dit le vieux. Rien, dit Lorettu, faut que j'y aille.

Il y va, les laisse là, face au lac.

Il est gentil ce petit, dit le vieux, tu trouves pas ? La vieille ne répond pas, elle regarde le paysage. T'as remarqué le pansement qu'il avait sur la joue ? dit-elle.

10.1

Qu'est-ce qui vous est arrivé ? dit monsieur Anker, (monsieur Anker, c'est le patron de la S.G.A., et la S.G.A., c'est la Société générale d'assainissement, et l'assainissement, on sait ce que c'est), en regardant le pansement sur la joue de Lorettu.

Lorettu est venu jusqu'à la Z.I., zone industrielle, avec le scooter de Fernand. Il est entré chez Fernand, encore toi ?, pour téléphoner. Avant de téléphoner, il a demandé à Fernand un grand verre d'eau parce qu'il avait très soif à cause du millefeuille, je te raconterai, dit-il. Ensuite, il a téléphoné. La fille au téléphone lui a dit qu'on pouvait le recevoir à neuf heures. Après le téléphone, il avait encore soif à cause de la peur. Il a rebu un grand verre d'eau sans respirer. Du coup, il était très essoufflé. Il attendait, pour parler, de retrouver son souffle.

Fernand, voyant qu'il voulait lui parler, attendait qu'il l'ait retrouvé. Son souffle retrouvé, il a dit à Fernand, j'ai besoin de ton scooter.

Vous m'entendez ?, je vous demande ce qui vous est arrivé, dit monsieur Anker, songeant, ce petit m'a tout l'air d'être un bagarreur. Je me suis coupé, dit Lorettu. En me rasant, ajoute-t-il aussi sec avant qu'on lui demande en quoi faisant. L'en quoi faisant, il l'a vu se pointer sur la bouche de monsieur Anker, une bouche exactement à hauteur de ses yeux, monsieur Anker est très grand, mais monsieur Anker n'a pas eu le temps de placer son en quoi faisant, Lorettu avec son en me rasant a été plus rapide. L'entretien commence mal, songe monsieur Anker, ce petit m'a l'air du genre à tenir tête.

Vous l'avez, votre permis P.L. ? dit-il. Je l'ai passé à l'armée, dit Lorettu. C'est pas valide, enfin je crois pas, dit monsieur Anker. Je l'ai repassé en rentrant, dit Lorettu. Fallait le dire tout de suite, dit monsieur Anker. Lorettu dit, je l'ai pas dit tout de suite parce que ça m'a fait assez chier.

Au mot chier, monsieur Anker a eu un léger mouvement de recul, il a grimacé. En plus vous êtes grossier, dit-il. Pourquoi en plus ? dit Lorettu. Pour rien, dit monsieur Anker : Vous avez déjà conduit, je veux dire professionnellement ? J'ai fait un peu le routier mais ça n'a pas duré, dit Lorettu, le patron me faisait chier.

Monsieur Anker, soupirant, fait le tour de son

bureau, s'asseoit en tournant, fait tourner son fauteuil, s'immobilise face à la baie vitrée donnant sur le garage, dominant le garage, surveillant le garage, le garage est au rez-de-chaussée, le bureau au premier étage.

Debout, Lorettu attend. Lui aussi a vue sur la baie, mais, debout d'où il est, il ne voit par la baie que le plafond du garage, autant regarder Anker.

Monsieur Anker sent l'eau de Cologne, sa grande main est couverte de poils, ses ongles cognent, pianotent, tapotent la plaque de verre qui couvre son bureau, il sifflote, entre ses dents la même note répétée, tsi-tsi-tsi, son ventre se voit davantage quand il est assis, il est chauve avec dans le visage quelque chose d'attendrissant, il devrait normalement adorer les enfants, s'il en a, ou en a eu, surtout s'il n'en a pas eu.

Bon, dit-il. Je peux le voir ce permis ?

Oui, dit Lorettu.

D'un mouvement enveloppant la hanche vers l'arrière, voilà, comme pour dégainer, il porte la main droite sur sa poche droite fessière de jean, en tire un portefeuille, l'ouvre, extrait lentement d'une loge translucide bordée de cuir son permis, le tend nonchalamment.

Lorettu, Basile, lit monsieur Anker. D'où ça vient ce nom-là ? dit-il. De mon père, dit Lorettu, et si vous me demandez si mon père le tenait de son père, je vous répondrai non, de sa mère, ma grand-mère était bonne à tout faire dans un château près de Saint-Germain, Yvelines, région parisienne, elle s'est fait mettre en cloque par le fils du châtelain, à moins que ce ne fût par le châtelain soi-même, vous voyez, je parle bien, j'ai fait des études de lettres, bac L option musique, lequel a voulu réparer, non, elle a dit non, on en est là, maintenant je m'en vais, vous êtes trop con et il s'en va.

Mais où il va ?, où il va ?, attendez, attendez, dit monsieur Anker, songeant décidément il me plaît ce petit-là. Revenez, dit-il, songeant bon sang quel tempérament. Revenez, mais revenez, allons, vous me plaisez, je vous prends. Comment ça ? dit Lorettu revenant. Bah oui, quoi, je vous engage, dit monsieur Anker. Ah bah vous alors, dit Lorettu, vous êtes un drôle de bonhomme, et puis vous savez les gros mots, j'ai l'air comme ça mais j'ai horreur de ça. J'ai bien compris que c'était pour me faire chier, dit monsieur Anker. Ils éclatent de rire. On dirait la fin d'un téléfilm. Ça ne fait que commencer.

Suzanne va s'occuper de vous, dit-il. Il appelle Suzanne. Suzanne ! Oui monsieur Anker ? Le oui grossissant de Suzanne entre en même temps que Suzanne. Une belle brune, bien ronde, ses yeux brillent. Occupez-vous de monsieur Lorettu, dit monsieur Anker. Les yeux interloqués de Suzanne. Son dossier d'embauche, dit monsieur Anker : Hou-hou ?, vous êtes là ? Oui monsieur. Ensuite vous présenterez monsieur Lorettu à Serge. Vous verrez c'est un garçon charmant, dit-il à Lorettu qui regarde Suzanne. Vous m'écoutez ? Oui, dit Lorettu. Il vous montrera la maison. Vous ferez vos débuts avec lui. Il vous prendra dans son camion. Vous ferez équipe. Vu ?

11.1

Le soir où Cécile et Lorettu se sont connus, la rythmique tournait très bien. On a toujours du mal, enfin moi j'ai toujours du mal à dire pourquoi une rythmique tourne bien mais quand elle tourne bien, même n'y connaissant rien, peut-être même surtout quand on n'y connaît rien, on l'entend, on le sent, les musiciens aussi le sentent, ils se regardent, ils ont le sourire.

Patrick piano, un blond clairsemé aux yeux vides, très voûté sur le clavier, Nassoy basse, le grand maigre qui a les doigts sparadrapés, Claude batterie joue comme Elvin, (Jones), on a beau lui dire que cette manière ne convient pas au bop mais ça fait rien, ça fait rien, pour l'instant tous les trois jouent très bien, ils en sont les premiers étonnés, ils se regardent, se retiennent de rire.

Yacada, yacada, cada, cada, yacada, yacada,

ça va vite, ils ont pris ça sur un tempo un peu rapide, Lorettu alto et Georges trompette vont devoir attaquer le thème à cette vitesse-là, un thème de Parker, difficile, comme tous les thèmes de Parker.

Lorettu l'a beaucoup travaillé, c'est pas le thème qui l'inquiète, c'est Georges, il rentre d'Australie, il voulait s'y installer, élever des kangourous, une histoire de fou, ça n'a pas marché, les histoires de fou ne marchent jamais, sauf peut-être avec Shakespeare, et encore, les comédies sont à pleurer et les tragédies à mourir de rire, en tout cas, il est resté là-bas six mois sans jouer, il a bien joué un peu depuis qu'il est rentré mais depuis qu'il est rentré il n'est plus le même, il fait la gueule, il est déprimé, il a ramené le spleen des aborigènes, et déjà sa technique, avant de partir, il ne pensait plus qu'à partir, enfin on verra bien, si Georges se fout dedans c'est pas grave, on est là chez Fernand entre copains, les habitués du bar, on joue comme ça un soir de temps en temps, le piano est naze, Patrick joue comme Monk sans le vouloir et ce soir il joue bien, Claude et Nassoy aussi, je sais ce qu'ils ont ce soir, y a des soirs comme ça, on passerait sa vie à les écouter, allez, on leur laisse encore deux passages.

Yacada, yacada.

Voilà. Lorettu regarde Georges. Il lui fait un signe de tête. Georges est très crispé. Il a gardé ses cheveux longs et sa barbe. Ils attaquent.

41

Ça n'a pas loupé, enfin, pas tout de suite, les huit premières mesures l'unisson était bon, les huit suivantes, acceptable, Georges était déjà un peu paumé, mais, quand il a fallu jouer le pont avec des traits en triples croches truffés de syncopes planquées dans tous les coins, il s'est cassé la gueule, Lorettu a fini seul et il a pris le premier solo.

Improviser à la suite d'un thème de Parker, c'est risqué, faut pas avoir peur, Parker lui-même n'est pas toujours à la hauteur de ce qu'il a composé, enfin il ose, Lorettu se lance, sur la pointe des pieds, avec des blancs, des notes, des blancs, des notes, un peu comme ce livre a commencé, puis il resserre tout ça, attaque, doublant le tempo, ça swingue, c'est bien, ça déménage, il le sent, le sait, construit son solo admirablement, on pourrait l'inscrire dans l'espace, il voit déjà la suite.

Au passage suivant, le tempo toujours doublé mais décalé, il commence à se balader dans les harmonies, triturant des accords voisins, parallèles, latéraux, les élargissant, distordant, avec une aisance, il a envie de montrer aux autres les progrès qu'il a faits, c'est de plus en plus complexe, le pianiste a du mal à suivre, un peu comme Tommy Flanagan courant derrière Coltrane dans Giant Steps, mais Nassoy suit très bien, il en profite pour grattouiller l'aigu véloce comme un cello, Claude le batteur aussi le suit, ses relances sont parfaites, magnifiques.

Et puis subitement tout fout le camp, éclate, explose. Lorettu se barre, au sens où un sujet se raye d'un trait pour enfin se faire entendre comme il l'entend, comme il s'entend. Il laisse tomber les harmonies, le tempo, la structure, tout. Son sax se met à pousser des cris de fauve. Il geint, pleure, aboie, hulule, ricane, hurle. Il entend ses cris. Répond à ses propres cris par des cris plus stridents encore. Claude suit mais les deux autres ils ne savent plus quoi faire. Etre libre d'un seul coup les affole. Finalement ils s'arrêtent. Claude d'ailleurs finit par s'arrêter aussi. Lui seul peut-être a bien compris qu'il fallait le laisser seul. Lorettu ne se rend même pas compte qu'il joue seul. Il continue à faire gueuler son sax. Georges le regarde. La figure de Lorettu est ravagée par une espèce de rage. Il tape du pied. Sa tête va éclater. Son cœur. Ses poumons brûlent. Il n'a plus de souffle. Il se calme, peu à peu, comme un possédé peu à peu se rend compte qu'il vocifère inutilement, comme un enragé peu à peu se rend compte qu'il n'y a rien à faire, peu à peu Lorettu se rend compte qu'il jouait seul, que depuis un moment il était seul. Il s'arrête. Silence total.

Il a les yeux fermés. Il n'ose pas les rouvrir. Les rouvre pourtant pour les loger dans ceux d'une femme, j'en vois qui ricanent, mais ça arrive, la preuve, assise à une table devant. Il la regarde. Il a l'impression que si rien ne se passe il va rester comme ça suspendu au regard de

43

cette femme. Mais quelque chose se passe. Il se passe que les gens qui sont là sortent de leur silence. Secouant la sidération, lentement, l'applaudissement commence. On entend des sifflets. Puis des cris.

Lorettu se retourne, regarde Patrick, le pianiste lui fait un signe de tête qui veut dire oui, c'est bien, t'as bien fait, je pensais pas que t'oserais mais tu as osé et c'est très bien. Ça lui suffit, Lorettu n'a confiance qu'en lui, puis il décroche son sax, le pose sur le piano et, sans réfléchir, se dirige vers la table.

La femme le voit venir, elle ne bouge pas, elle ne change rien à son attitude, elle est très spéciale, ce qui ne veut rien dire, tout en gris, très élégante, ce qui ne veut rien dire non plus, elle est accompagnée d'une fille petite, très petite, beaucoup plus jeune et qui la regarde, visiblement amusée de ce qui se passe entre elle et Lorettu, elle regarde maintenant Lorettu qui approche, puis de nouveau la femme à côté d'elle, ça l'amuse de voir ces deux-là se regarder, Lorettu s'arrête devant les deux femmes, une demi-femme et une femme et demie et dit : Je vais m'asseoir avec vous prendre un verre, il est sonné.

On allait justement vous le proposer, ricane la fille, moi et cette dame, dit-elle, puis cette dame c'est ma mère et elle s'appelle Cécile, et vous ? Basile, dit Lorettu. La fille éclate de rire. Et cette petite qui rit comme une idiote, c'est ma fille, dit la femme. C'est comme ça qu'elle et Lorettu se sont connus, si on peut appeler ça se connaître.

Je vais me chercher un verre, dit-il en sueur, son maillot lui colle à la peau sous la veste, il a mis une veste ce soir, elle est trop grande, la longueur lui va bien mais les manches lui tombent sur les mains, la noirceur de ton du tissu convient bien à son teint pâle de blond en brosse, les joues creuses.

Il revient avec son verre gratis, Fernand leur donne dix sacs à chacun et la boisson à volonté, il paraît qu'on joue mieux à moitié bourré, il revient, il aurait pu ne jamais revenir mais il revient, c'est le destin.

La femme le regarde s'asseoir en face d'elle, il y a quelque chose de bizarre dans ce regard, un truc qui pardonne pas, qui épluche, qui jauge, qui juge, qui a l'air de tout voir, Lorettu ne voit pas le truc, il s'asseoit, elle regarde ce qu'il a dans son verre, elle le regarde boire, elle n'arrête pas de le regarder, comme s'il était un spécimen rare, en liberté, apprivoisé, acclimaté, venant boire à la table sur simple regard, ça ne gêne pas Lorettu, il est sonné et ce qu'il boit ne va rien arranger.

La fille regarde sa mère regarder Lorettu, Lorettu regarder sa mère, elle se demande ce qu'il va dire, ce qu'elle va dire, elle attend, la mère ne dit rien, n'a rien à dire, Lorettu non plus, ils n'ont rien à se dire, ils n'ont pas envie

45

de se parler, ils ont visiblement seulement envie de se regarder, pour des raisons diamétralement opposées mais en silence ça peut encore aller, ça peut marcher, tant qu'on garde le silence, on peut se tromper sur le silence, on peut se payer de silence, on peut s'en payer, il a tout à l'heure ouvert les yeux sur elle, c'est tombé sur elle, ça aurait pu tomber sur une autre mais c'est sur elle que c'est tombé, elle le regardait jouer, appelons ça jouer, il jouait, il ne joue plus, elle a du mal à digérer que le même Lorettu puisse jouer comme il jouait puis ne plus jouer, Lorettu aussi le digère mal, ce qui tend à prouver que même le silence marche mal, même plus mal, il est tellement bavard qu'il donne envie de parler, ne serait-ce que pour le contredire, le contredire ?, elle le regarde qui ne joue plus et Lorettu qui se sait ne plus jouer se sent regardé par elle, et ça a continué comme ça jusqu'à ce que Lorettu entende frémir la cymbale cloutée de Claude.

12.1

Le soir où Lorettu a vu cette photo chez Cécile en feuilletant une revue, la photo de la très vieille femme nue qui l'avait tant ému, dans le numéro spécial d'un mensuel d'art, entièrement consacré à la photographie et notamment au nu, même si la photographie n'est pas un art et le nu un prétexte pour ne pas en faire, il était arrivé avec son coffret Beethoven sous le bras.

Il l'avait enveloppé dans du papier-cadeau avec ruban, rosette, ce qui n'a pas empêché Cécile de tirer comme une folle, énervée comme on est toujours, on a hâte de savoir, ou peur d'être déçu, ou bien parce qu'on est gêné, les cadeaux gênent, quelle idée de me faire un cadeau, se disait-elle, vous m'embarrassez, jusqu'à ce que Lorettu lui dise, la rosette, de l'autre côté.

Elle n'arrêtait pas de le remercier, ça a duré

au moins une demi-heure, avant le verre, pendant le verre, après le verre, elle le remerciait tellement que Lorettu se demandait s'il n'aurait pas mieux fait de ne pas apporter le coffret Beethoven, se disant, peut-être que ça la gêne, puis, à un moment donné, elle l'a lâché pour aller s'occuper de son dîner, il a pris une revue au hasard.

Ensuite, la fille est arrivée.

Lorettu ne s'attendait pas à la voir.

Lorettu espérait passer un moment seul avec Cécile.

Mais la fille est arrivée et à partir de là elle et sa mère n'ont pas cessé, une bonne partie de la soirée, en fait presque toute la soirée, on peut même dire toute la soirée, avec quand même quelques arrêts, le temps de se lever pour aller mettre un quatuor de Ludwig van, ça fait plaisir, à moins que vous ne préfériez du jazz ?, ça lui a fait de la peine, ou bien, pour aller chercher un plat dans le four, Lorettu est resté dîner, la fille aussi.

De se disputer à propos d'un billet d'avion, la fille de Cécile rentrait de Grèce, d'une île, regardez la carte qu'elle m'a envoyée, dit Cécile, des terrasses, des maisons aux murs d'un blanc pur, des toits bleus, mais bleus, mais d'un bleu, c'est beau, dit Lorettu, mais Cécile, sa fille, de nouveau, se disputaient.

A propos d'un billet que la fille semblait-il aurait soi-disant payé deux fois, l'agence n'aurait pas envoyé le billet, c'est du moins ce qui apparaissait, ou l'aurait envoyé, le billet se serait égaré, un billet attendu jusqu'au moment de partir et au moment de partir, pas de billet, alors j'en ai acheté un autre, dit la fille, bien obligée, je ne pouvais rien prouver, sans doute, dit la mère, mais quand même, tu aurais dû, je viens de rentrer, dit la fille, laisse-moi respirer.

Elle est partie après dîner. Lorettu aussi. Lorettu pensait. Il avait tort. Lorettu se disait, Cécile va me retenir. Pas du tout. Beethoven ou pas. Ma fille va vous raccompagner, dit-elle.

En partant, en sortant, en se quittant, pas un mot, pas un regard de la part de Cécile. N'oublie pas de passer à l'agence, dit-elle. Demande à voir le directeur, tu entends ?, le directeur. Tu veux que j'aille avec toi ? Surtout pas, dit la fille. Vous habitez où ? Lorettu lui dit où.

Dans la voiture. Une décapotable. Une vieille T.R.3. Bleue, décapotée, Lorettu a froid. La fille met la radio, cherche, tombe sur un Monk. Ah merde, c'est Monk, dit Lorettu. Vous entendez ?, c'est Monk. Silence, il écoute. Je l'aimais pas au début, dit-il. Silence, il écoute, puis. Je l'ai vu jouer un jour à Paris. Il se tait, il écoute en regardant défiler la rue la nuit, en revoyant Paris la nuit, autour de minuit, il revoit Monk, puis. Il monte le son, vous permettez ?, puis se tait, puis. On a poi-reauté une heure dans la salle. Il est arrivé ivre mort. Il avait une casquette à carreaux, des Ray-ban. Il tenait pas sur son tabouret. Il lâchait le clavier pour se tenir au piano. Incapable de jouer. Vu de dos, le piano tanguait. Je fixais son dos, je voulais le fixer, l'empêcher de tomber, et, à force de fixer son dos, je voyais le piano tanguer. Pour en arriver là, pour arriver dans cet état-là, fallait quand même qu'il en ait bavé. Je disais incapable de jouer, il jouait quand même les thèmes, mais parce que c'était les siens, il n'avait pas besoin de se les rappeler, ça sortait tout seul, malgré lui, hors de lui, des versions inouïes, des versions ivres. Charlie Rouse a fait tout le boulot. Un bon ténor, Charlie Rouse. La fille de Cécile se fout de Charlie Rouse. Vous êtes l'amant de ma mère ? dit-elle. Non, dit Lorettu. L'ami ? Non, dit Lorettu. Vous êtes quoi alors ? Rien, dit Lorettu, c'est là. Là ? Oui, là, ça ira.

Je monte un moment chez vous, dit la fille de Cécile, j'ai envie de voir comment c'est, Lorettu a envie de lui dire c'est comme avant, comme pendant, comme après, comme avec, comme sans. Je veux bien, dit-il, mais je vous préviens, c'est.

Chez Lorettu. Ah mais voilà le fameux saxo, dit la fille de Cécile en empoignant l'alto répandu sur le lit. Oh, c'est lourd. Elle cherche où mettre ses doigts. Comme ça, dit Lorettu. Elle souffle fort. Lorettu regarde ses grosses lèvres. Elle a embouché le bec du sax comme

50

s'il s'était agi d'un sexe. A propos, elle le lui prend tout de suite après. Mais si la scène vous gêne, on peut très bien la supprimer. D'accord, je la supprime. Elle a pourtant eu lieu. Elle continuait comme suit.

Elle porte une petite robe courte, les bras nus, fermeture dans le dos, portait. Ensuite, allongée sur le lit, jambes jointes levées très haut. Lorettu regarde ça. Tel que c'est là, on dirait une demi-pêche. Le lit est trop bas. Il s'agenouille sur le lit. C'est encore trop haut. Non, écoutez, non, pas comme ça, ça va pas, dit-il, j'y arrive pas, mettez-vous autrement ou alors foutez le camp, je vous ai rien demandé, moi, j'en ai marre à la fin, allez, foutez-moi le camp.

Oh, mais c'est qu'il est méchant, le petit Basile, dit la fille de Cécile, se redressant. Puis, sur un ton différent. Quel con vous faites. Puis, sur un ton encore différent. Je ne sais pas ce que ma mère vous trouve mais moi je vous trouve vraiment très con. Se rhabillant, elle l'examine, comme pour vérifier ce qu'elle affirme. Il a pas l'air, pourtant, songe-t-elle, tout en essayant, elle a du mal à remonter sa fermeture.

Au lieu de me regarder, vous feriez mieux de m'aider, dit-elle. Lorettu remonte la sienne puis se précipite derrière elle. Elle est vraiment petite. Il a ses cheveux sous le menton, ça sent bon, taillés net, tranchés haut sur la nuque, en une boule qui enveloppe le crâne comme une bombe puis retombe en chiens sur les cils, ça la gêne, l'oblige à secouer la tête, comme une petite fille pleine de tics, nerveuse, hypersensible, émotive, trop émotive, on a envie de prendre cette tête pour la calmer, la rassurer, on a envie de l'embrasser, on en arrive même à souhaiter qu'elle pleure pour pouvoir goûter le salé de ses larmes, elle l'agite en ce moment, pendant que Lorettu s'efforce. Voilà, dit-il, c'est fait, et l'orage crève, l'autre, le vrai, dans le ciel, on entend les premières gouttes cogner sur les capotes des cabriolets.

Elle est ouverte, dit la petite. Non, fermée, dit Lorettu, je vous assure. Tenez, dit-il. Il lui prend la main, la conduit jusqu'en haut du dos, lui tordant le bras. Vous la sentez ? dit-il, puis tirant sur le bras puisqu'elle ne répond pas. Vous me faites mal, répond-elle. Elle se dégage, se retourne, lui fait face, et, du haut de sa petitesse, lui dit : Je vous parle de la voiture, en plus elle est pas à moi. Elle ricane. Elle est à Philippe, dit-elle. Vous connaissez Philippe ? Non, dit Lorettu. Vous connaissez pas Philippe ? Non, dit Lorettu. Vous voulez que je vous en raconte une bien bonne à propos de Philippe et de sa voiture ? Vous me raconterez ça après, dit Lorettu. Elle ne lui raconte donc pas qu'un jour, Philippe, se trouvant arrêté à un feu rouge, à côté d'un gros camion, se contente d'y repenser en souriant, Lorettu est penché à la fenêtre.

Les baquets sont pleins d'eau. Lorettu, sur le trottoir, sous la pluie, maintient la capote fermée. La petite, assise à l'intérieur, la verrouille. C'est amusant de les imaginer séparés par une vulgaire capote, d'ailleurs trouée, près de la lunette, rafistolée par un pansement en croix, sous la flotte. Voilà, c'est fait. Lorettu se penche, rentre la tête dans la voiture. Vous devez avoir les fesses au frais, dit-il. Elle embraye très fort. Lorettu a juste le temps de sortir sa tête. Il était là à la regarder en ricanant. Les roues arrière patinent, le cul bleu de la T.R.3 se balade un peu, vos lumières, lui crie Lorettu, les feux rouges s'allument, comme si elle avait entendu, la pluie augmente, un éclair blanc illumine toute la rue. Tonnerre suit.

13.1

Ce même soir. Une promenade en bateau ?, elle répétait une promenade en bateau. Une promenade en bateau ?, vous avez dit une promenade en bateau ? Oui, j'ai dit une promenade en bateau, pourquoi ?, vous n'aimez pas les promenades en bateau ?

Non, dit Cécile. Ah bon, dit Lorettu, je croyais vous faire plaisir, enfin, j'imaginais, je ne sais pas, enfin oui j'imaginais que ça vous ferait plaisir, bah voilà, je me trompais, faut dire aussi, enfin bref, je suis là comme un abruti, sous l'orage.

Il était là comme un abruti sous l'orage, dans la cabine en bas de chez lui. Il venait d'expédier la fille. Il avait aussitôt repensé à la mère. Peut-être même qu'il avait viré la fille parce qu'il pensait trop à la mère. Donc il court sous la pluie jusqu'à la cabine, appelle Cécile, et tout ça, je vous le donne en mille, après Beethoven, pour lui offrir quoi ? Non, vraiment, Lorettu est lamentable.

Vous avez de l'orage chez vous aussi ? dit-il. Non je dis ça parce que ça peut très bien tomber chez moi et pas chez vous. Ça m'étonnerait pas, d'ailleurs. Chez vous, y a jamais d'orage, ce serait trop beau. Qu'est-ce que vous dites ? dit Cécile.

Elle s'était mise au lit avec Bill Shakespeare, Les joyeuses épouses, c'est très plaisant, ensuite elle lira Comme il vous plaira, un oreiller dans le dos, bien tranquille, calée près de la lampe, elle-même blottie contre un petit réveil à musique, branché sur France Musique, à l'heure du jazz, pourquoi pas ?, elle pensera à lui, un petit peu, le temps de sentir qu'elle pense à lui qui pense à elle, ça fait pas de mal, on se sent moins seul, puis se replongera dans Comme il vous plaira, et forcément tombera sur la fameuse réplique, se disant tiens, j'avais oublié que c'était là-dedans, je vous demande si chez vous aussi y a de l'orage.

Oui oui ici aussi, dit Cécile, ça tonne, vous n'entendez pas ? Si, si, j'entends, dit Lorettu, enfin, j'entends que ça tonne ici, comment voulez-vous que j'entende si chez vous ça tonne aussi ?, encore que, oui, ça pourrait tonner chez vous mais pas au même moment, éclair ici, tonnerre chez vous. Comment ? dit Cécile.

Bon alors vous voulez pas venir, dit Lorettu,

ça vous fait pas plaisir. Mais si, ça me fait plaisir, mon petit Basile, dit Cécile. Ah bon alors vous venez ? Non, je veux dire, ça me fait plaisir que vous me le demandiez, dit Cécile.

Lorettu, tout ça, ça commence à l'emmerder. Ça lui fait plaisir ou ça lui fait pas plaisir. Si ça lui fait plaisir que je lui demande, ça doit lui faire plaisir d'accepter. Qu'est-ce que c'est que ces conneries ? En voilà des manières. C'est plutôt qu'elle veut pas s'avancer. Ça la ferait chier qu'on puisse penser. Ah, et puis merde.

Vous êtes déjà montée sur un bateau au moins ? dit-il. Non, dit Cécile. Enfin si, mais alors, y a longtemps, j'avais quoi ?, dix-sept ans, elle s'était laissée entraîner par une amie plus âgée qu'elle dans une espèce de club franco-anglais pour des vacances tardives début octobre, le bateau se sépare du quai, le port recule, la ville, la terre, la solitude en mer, le sillage blanc, la profondeur sous elle, cette eau, toute cette eau, partout, l'immense soulagement qu'elle ressent quand elle croise un autre bateau, heureusement les bateaux sont lents, on a le temps de se regarder passer, de muettement se crier ohé, d'espérer se sauver l'âme, on se surprend même à se faire signe sans que même le petit doigt soit levé, à peine a-t-il tremblé, le club était presque désert, absolument seule sur une plage, le vent de sable, l'envie de hurler en s'enfonçant deux doigts dans le ventre, les soirées sur la terrasse, le seul Anglais qui lui plaisait se pintait au Casanis, il dansait seul, complètement ivre, le dos à la balustrade, il est tombé, le lendemain on partait, de nuit, pas de couchette convenable, du plastique, je me suis endormie la joue contre, et, au réveil, j'avais la moitié de la figure pleine de boutons, d'ailleurs samedi matin c'est pas possible, quelqu'un doit venir nettoyer la moquette, elle paraît pas sale comme ça mais l'autre jour, en déplaçant un fauteuil, quand j'ai vu la couleur, je veux dire la couleur d'origine, je me suis dit c'est pas possible, c'est quand même pas sale comme ça chez moi, allô ?

Ça va couper, dit Lorettu. J'ai plus de pièces. Bon, allez. A onze heures à l'embarcadère. Vous avez entendu ? Je vous attendrai. Alors vous venez, vous venez pas, vous faites comme vous voulez, je m'en fous. Non, pas dimanche. Dimanche, je suis au monastère.

14.1

Toute, toute, fait la corne de brume du bateau. Il n'y a pas de brume, le temps est clair, ensoleillé, très chaud. Il est onze heures du matin. Les aubes du bateau battent l'eau comme les pattes d'un chien, un gros chien, quarante mètres de long, deux moteurs de cinq cents chevaux, le reste est affiché sur une cloison du pont juste à l'entrée, nom, année de lancement, nombre de passagers, enfin tout.

Toute, trompe-t-il en approchant tout blanc, non, la cheminée est brune, légèrement penchée, dix degrés, à l'arrière flotte un drapeau rouge, qu'on se rassure, à croix blanche, émouvant, rappelant je ne sais quel roman austro-allemand, où il serait question d'amour et de tuberculose, accessoirement d'un monde moisi jusqu'à la moelle des os, regardons plutôt ce bateau qui nous arrive entre les arbres.

Il approche lentement.

Gros ronron sourd illustré par Dufy.

Une petite foule de couleurs est assise à l'avant en plein air au soleil.

Tout en haut, à hauteur du pont supérieur où se pavanent les premières classes, le capitaine sapé comme un Anglais en tenue d'été manœuvre au quart de poil.

Le long bateau blanc se range comme une image le long du court ponton, face à la passerelle manquée d'un rien, à refaire, marche arrière, légère, l'eau contrariée, contredite, bouillonne, là, voilà, il se serre, grince, se colle contre l'embarcadère.

Ce gars-là conduit ça, faut voir, mieux que moi mon camion, songe Lorettu et cette comparaison l'énerve. Il a pensé camion et pas musique. Il aurait préféré penser par comparaison entre jazz et navigation. Par exemple, j'aimerais jouer du sax aussi bien que ce mec pilote son rafiot. C'est juste. Depuis qu'il bosse dans cette boîte, il a l'impression d'oublier le jazz. Mais ce n'est qu'une impression. C'est quand même une impression et les impressions ont vite fait de vous pourrir la pensée, la preuve, il a pensé camion par comparaison. Il a beau se redire qu'il fait ça pour bouffer, l'idée de l'odeur lui revient. Tous les soirs il se lave comme un dingue, se relave comme un névrosé se relave, pour rien. Il se demande si Cécile sent cette odeur de merde sur lui, même

à un mètre de lui, le plus souvent deux mètres.

S'il s'approche, elle s'éloigne, autant rester à
un bon mètre, c'est mieux que loin, c'est
d'ailleurs pas si loin, ça paraît toujours trop loin
mais c'est pas loin, c'est même assez près un
bon mètre, elle ne fuit pas plus loin, c'est même
bon d'être loin et à la fois pas loin.

En gris comme d'habitude, tout en gris, bou-
tonnée jusqu'au cou. Lorettu préfère les petites
robes à fleurs avec un décolleté qui bâille quand
la fille se penche. Pas Cécile. Elle est très grande
pour une femme, très digne, très élégante, très
tout, pas sexy du tout, mais alors, un charme
fou, qui tient à quoi, ça, Lorettu n'en sait rien.
Il se demande ce qu'elle fout avec lui. Il est plus
petit qu'elle. Toujours loin d'elle.

Un soir, il a osé poser sa main, ou plutôt, il
lui a touché le bras gauche. Eh bien ? Ah, et
puis merde. Mais si, mais si, dis-nous ce qui
s'est passé. Rien, elle a fait un écart, comme une
bête nerveuse, un ressort, une pelote de nerfs,
un chat qui pose la patte sur une grosse guêpe,
qui saute en l'air. Et alors ? Rien, il l'a laissée,
il est parti, il avait rendez-vous chez Fernand.
Avec qui ? Avec un batteur qu'il connaissait de
nom, de réputation, il savait que ce batteur
jouait dans un orchestre assez célèbre, même
très célèbre, c'était important, Fernand avait
tout arrangé, il avait parlé au batteur, il avait dû
lui dire beaucoup de bien de Lorettu parce que

le batteur, Basile à peine arrivé, lui a proposé, comme ça, sans l'entendre, de partir avec eux en tournée, six mois en Afrique, c'était pas l'Amérique, c'était mieux que l'Amérique, mais Lorettu. Quoi, Lorettu ? Va savoir ce qui s'est passé. Je sais ce qui s'est passé. C'est tout simple. Tout bête. Très bête. A se foutre des baffes. Il avait la tête encore pleine de Cécile, la main droite encore pleine du bras gauche de Cécile, il a dit non, désolé, j'ai une femme, je ne peux pas la laisser. Mais enfin, dit Fernand. Fernand le regardait comme lui-même en ce moment regarde Cécile.

Elle a les yeux fermés, la tête légèrement inclinée, renversée, elle respire la chaleur du soleil. Elle est subtilement appuyée contre la barrière du ponton. Lorettu a envie de s'approcher. Non, inutile. Il s'approche quand même, un peu, constate que Cécile n'est pas appuyée, son dos ne touche pas la barrière, et elle n'a pas les yeux fermés. Entre ses paupières, elle regarde les gens descendre du bateau.

Ça va être à nous, dit Lorettu. Vous n'avez pas peur ? Ils se disent vous, c'est magnifique. Tant qu'ils se diront vous. Non, dit Cécile, et vous ? Tiens, elle sourit. Un peu, dit Lorettu, rêvant naufrage, sauvetage, il nage, vers elle, la saisit sous les bras, touche ses seins sans le vouloir comme James Stewart ceux de Kim Novak dans Vertigo. Oui, je sais, je suis vulgaire. Pourquoi vous dites ça ? dit Cécile. Pour rien, dit Lorettu, pour rien. On y va ? Ils embarquent.

Il s'efface, c'est facile. Elle franchit la passerelle devant lui. Il la suit à deux mètres. C'est encore trop près pour bien la regarder. Il aimerait reculer, s'arrêter, la voir partir, contempler son élégance. Il hésite, un pied sur la passerelle, s'arrête, recule. L'employé de la C.G.N. le regarde. Cécile se retourne comme si elle avait perdu l'odeur de merde qui traîne sur l'homme qu'elle traîne avec elle, pourquoi d'ailleurs ?, qu'est-ce qu'elle lui trouve sans son sax sur le ventre, sans cette tête brutalisée par la musique qui lui sort du ventre, lui remonte à la tête, lui ressort par le ventre, ainsi de suite en un cercle ? Alors vous venez ? dit-elle.

Voilà voilà, dit Lorettu, et disant ça, ce voilà-voilà, le voici de nouveau sur la piste du voilà-voilà, qui ce jour-là lui avait rappelé le début d'un mouvement d'un des quatuors Razoumovsky. C'était son seul coffret classique. Il l'avait acheté d'occase, par curiosité, surtout à cause du prix vachement intéressant. Il l'a écouté. Il a découvert la beauté tranquille, apparemment tranquille, ça l'a secoué, tellement secoué qu'il a failli abandonner ses goûts be-bop. Il n'osait plus le réécouter. Il l'a rangé, loin de sa vue, c'est vite dit, chez lui c'est petit, le coffret est épais, quatre disques, non, trois, peu importe, ça se voit, il le voyait. il aurait pu le cacher sous le lit mais finalement s'est dit, je vais l'offrir à Cécile.

Vous l'avez toujours ? dit-il, s'interrompant pour tendre les billets à l'employé de la C.G.N., Compagnie générale de navigation. L'employé est en uniforme, il a du ventre, la trogne pleine de coups de soleil. Il poinçonne les billets en disant pour Lausanne, correspondance Yvoires, le bateau est à midi. Voilà, dit-il, levant les yeux sur Lorettu, regardant la brosse de ce type blond tout pâle. Merci, dit Lorettu, reprenant les billets, puis s'engageant dans l'ombre de l'intérieur, Cécile attend près de l'escalier qui descend aux toilettes.

A deux mètres d'elle, il s'arrête et dit : Vous les avez toujours, les Beethoven que je vous ai offerts ? Bien sûr, dit Cécile, l'air de dire en voilà une question. C'est vrai, ma question est con, songe Lorettu, je ne vois pas pourquoi elle ne les aurait plus, même si les cadeaux obligent, encombrent, au point qu'on pense parfois à s'en débarrasser, elle aurait mieux fait de refuser, elle a refusé, c'est moi qui ai insisté, vous savez que j'ai failli abandonner le jazz à force d'écouter cette musique ? dit-il.

Vous auriez eu tort, dit Cécile, c'est comme si un écrivain, dit Cécile, après avoir lu un chef-d'œuvre, dit Cécile, s'arrêtait d'écrire, dit Cécile, il ne peut écrire que par lui-même, dit Cécile, il n'y a que lui qui puisse écrire ce qu'il a à écrire, dit Cécile, encore faut-il qu'il ait quelque chose à écrire, dit Cécile. Si c'est pour moi qu'elle dit ça. Lorettu, lui, ne voit pas le rapport, il n'a rien à jouer, n'invente rien, copie, imite, reproduit par cœur Charlie. Tout ce qu'il sait, c'est que souffler dans son alto lui fait du bien, et encore, seulement pendant, dès qu'il s'arrête ça va plus mal, et ça dure comme ça depuis le commencement.

Des enfants, il y en a qui cavalent sur le pont, tout une colo, les monos essaient de les tenir, trois ou quatre jeunes à l'air triste. Un petit pleurnichant s'arrête dans les pieds de Cécile. Elle lui pose la main sur la tête. Qu'est-ce que tu as ? dit-elle. Le petit la regarde. Lorettu est jaloux du regard du petit, du regard de Cécile sur le petit. Il a des lunettes à verres grossissants qui lui font des yeux gros comme des billes de loto. J'ai perdu mon K.way, dit le petit. Il renifle. Là-bas, dit Lorettu. Cécile se retourne. Le sac banane est tout seul sur un banc. Mais oui, tu vois, il est là-bas, dit-elle. Où ça ? dit le petit. Sur le banc, dit Cécile. Le petit va chercher son K.way. Il s'arrête en revenant. Merci madame, dit-il. Cécile lui prend le visage dans ses grandes mains, se penche, l'embrasse, le petit rougit puis banalement il se sauve en courant.

Quand je pense que moi vous n'avez jamais voulu m'embrasser, dit Lorettu. Ah, arrêtez, dit Cécile.

15.1

Serge, c'est pas vous qui avez pris le message pour le chalet Le Savoyard ?, le monsieur dit qu'il a déjà téléphoné trois fois. C'est pas Serge, c'est Robert, dit Robert.

Ah bon c'est vous, mon petit Robert, dit Suzanne, j'avais pas reconnu votre voix, j'ai cru que c'était Serge, vous n'avez pourtant pas la même voix, vous êtes enrhumé ? Non, dit Robert. Tant mieux, tant mieux, dit Suzanne : Dites-moi, mon petit Robert, c'est pas vous qui avez pris le message pour le chalet Le Savoyard ?, j'ai là un monsieur qui me dit qu'il a déjà téléphoné trois fois. Non, dit Robert, c'est pas moi, ça doit être Serge. Et Serge il est là ? dit Suzanne. Attendez que je regarde, dit Robert. Non, dit-il, je vois pas son camion. Et Serge ? dit Suzanne. Non plus, dit Robert. Attendez, attendez, dit-il. Non, dit-il, c'est

Basile. Demandez voir à Basile, dit Suzanne.

Suzanne entend la voix de Robert crier Basile. La voix résonne dans le garage silencieux ce matin. Elle perçoit même un léger bruit d'eau au fond de l'écouteur, comme s'il pleuvait, mais toute eau qui tombe en pluie n'est pas pour autant pluie. Cela dit, il pourrait pleuvoir. Les portes du garage sont grandes ouvertes. Suzanne pourrait très bien percevoir le bruit de la pluie amplifié par le vide calme du garage. Ce n'est pas le cas. Il ne pleut pas ce matin. S'il ne pleut pas, c'est qu'il fait beau. Pas forcément. Il peut ne pas pleuvoir et pour autant ne pas faire beau. Sans pluie, le temps est parfois gris. Ce n'est pas le cas aujourd'hui. Il fait beau ce matin. Suzanne regarde les montagnes au loin par la fenêtre de son bureau avec un vague dans le regard d'une qualité qui n'appartient qu'à elle quand elle fait patienter.

Ne quittez pas, dit-elle.

Non, je ne quitte pas, dit l'homme.

Suite des Quatre saisons, ou plutôt non, toujours la même, le mois d'août.

Basile ! crie Robert.

Je parie qu'il a encore son walkman sur le crâne, se dit-il, traversant le garage, et en effet. Bah voilà, je l'aurais parié, se dit-il. Traversant le garage. Le garage n'est pas si large mais Robert marche lentement comme ce grand animal paresseux qui je crois paresseusement porte le même nom en décomposant chacun de ses gestes jusqu'à ce qu'on l'appelle par son nom. C'est bien ce que je pensais, se dit-il, s'approchant dans le dos de Basile.

Lorettu a le dos qui ondule. Dans le prolongement du dos de Basile, du bras de Basile, de la main de Lorettu, le jet d'eau ondule aussi.

Les ondulations du jet sont dues à la soupe que Lorettu s'instille dans le trou des feuilles. À propos, Lorettu a l'oreille absolue. La soupe, c'est toutes les plages que Charlie Parker a enregistrées avec un orchestre à cordes, c'est bien poisseux, ça colle, ça dégouline, pauvre Charlie, quel ennui.

Sans doute, sans doute.

Mais, passant le jet, Lorettu se dit, je préférerais faire de la soupe comme Charlie, se corrige, se dit, je préférerais essayer de faire de la soupe comme Charlie plutôt que de nettoyer cette pompe à merde.

Certes, certes.

Seulement voilà, pour faire du studio, faut déchiffrer à vue et Lorettu n'est pas très bon lecteur. Il a jamais appris à lire. Il a pas trouvé son sax dans une poubelle comme Stan Getz mais c'est tout comme. Il passe le jet. Harmoniquement, on l'a vu, il est capable de tout d'oreille. Mais lire, non, jamais. Il passe le jet. Très important, le jet. Monsieur Anker prétend qu'on a beau être pompe à boue, eau croupie, vase, fosse d'aisances, on se doit d'être nickel. Nos clients, dit-il, ne nous supportent que si nous sommes propres. Je dirais même mieux, pense-t-il en mieux : Notre propreté est aux yeux de nos clients une promesse, que dis-je une promesse ?, oui, au fond, pourquoi dit-il une promesse ?, il perd son temps, il lui suffisait de dire je veux, j'exige que vos camions soient impeccables. Celui de Lorettu l'est presque.

Robert lui tape dans le dos, Lorettu effrayé se retourne, Robert a juste le temps de faire un écart, fais attention, bon dieu, dit-il, Lorettu n'entend rien, voit les prunelles courroucées de Robert, redresse, le jet puissant se barre dans les hauteurs, retombe en pluie au milieu du garage vide, calme, c'est beau comme au lac de Genève, le soleil fait briller les gouttes.

Eteins-moi ça, dit Robert. Comment ? dit Lorettu, coupant de la main gauche le son de son baladeur tandis qu'avec la droite il réoriente le jet sur le flanc du camion vert d'eau propre, presque, ces traces-là ne partent pas, va falloir se les farcir à la main.

Arrête ça, dit Robert.

Voilà-voilà, dit Lorettu. Il coupe le jet. Alors ? dit-il, qu'est-ce qu'y a ? C'est pas toi qui as pris le message pour la villa La Savoyarde ?, il paraît que le type a déjà téléphoné trois fois, dit Robert. Non, dit Lorettu, c'est pas moi, mais je peux y aller. La question n'est pas là, dit Robert, moi aussi je peux y aller. T'es trop ramier, dit Lorettu. Qu'est-ce que tu dis ? dit Robert qui a très bien entendu. Je dis que t'es trop ramier, dit Lorettu. Qu'est-ce que tu dis ? dit Robert qui n'a plus l'excuse d'avoir mal entendu. Ils vont pas se battre, quand même. On va pas se battre pour ça, dit Lorettu. Non, dit Robert, alors t'y vas ? Oui, dit Lorettu, mais pas avant deux heures, ce matin j'ai des rendez-vous, je finis ça et j'y vais.

Allô, Suzanne ? dit Robert. Il est essoufflé. Il vient de courir, faisant de droite et de gauche des bonds pour éviter les flaques, les mares, le mini-lac, jusqu'au téléphone. Oui ? dit Suzanne. Basile va y aller, dit Robert, remarquez j'aurais pu y aller mais Basile dit qu'il va y aller, il y sera après déjeuner.

Allô ? dit Suzanne : Vous êtes encore là ? En aparté : Il a dû raccrocher, pourtant non, j'entends pas la tonalité : Allô ?

Oui, allô, dit l'homme : Excusez-moi, j'étais.

Bon bah voilà, c'est arrangé, dit Suzanne.

Très bien, dit l'homme : Alors ?

Vous aurez quelqu'un vers deux heures, dit Suzanne : Vous me rappelez votre adresse ?

69

2

FACE AU LAC LEMAN
Superbe villa savoyarde
Très gd séjour avec chem.
Cuisine tt équip, mll, mlv, tv.
Quatre ch, 2 sdb, 2 sdd.
Terrain 3 hect.
Libre en août.
Téléphone.

1.2

Le portail est ouvert, Paul tourne sur le bateau, franchit le portail, remonte un peu l'allée, s'arrête en retrait et à gauche d'une autre voiture, une Citroën ZX beige toute neuve, le coffre est ouvert, un homme plié sous le hayon, l'homme ne se retourne pas.

Paul descend de voiture, il est en sueur, tellement fatigué qu'il ne songe même pas à regarder de quoi a l'air cette grande maison, il ôte ses lunettes de vue, décroche les verres de soleil, les glisse dans sa poche de polo bleu, pantalon mastic mouillé aux fesses, remet ses lunettes de vue, regarde l'homme courbé sous le hayon de la ZX, s'approche de lui, s'adresse à lui.

Je suis monsieur Saint-Sabin, dit Paul et voici ma. Jeanne, sa femme, s'est éloignée, elle commence à mesurer le parc. On est un peu en retard, dit Paul, puis : Vous êtes sans doute monsieur Tarty ? L'homme se sort du coffre de la ZX. Il porte des verres spéciaux qui lui font des yeux très gros, noirs, stupéfaits, il a dans la main une grosse clef à molette.

Paul hésite, lui tend la main. L'homme ne prend pas la main de Paul. Il fait le tour de la ZX, ouvre la portière, appuie sur le klaxon, lève la tête. Une femme apparaît au balcon. Jeanne, alertée par le klaxon, se retourne, voit la femme apparue au balcon. Je ne la voyais pas comme ça, se dit-elle.

La femme tient dans la main droite une boîte de Cif, produit récurant, dans la gauche une éponge Spontex à dos rouge grattant, aux flancs creux que la main gauche épouse, elle est gauchère. Elle sourit, un peu décoiffée. Paul, trop fatigué, regarde le rosier. Il y a un rosier sous le balcon. Le rosier grimpe jusque sous le balcon. Paul, abruti par la route, songe que le rosier ne peut plus grimper à cause du balcon. Le rosier lèche les dessous du balcon puis se retourne contre lui-même. En plus, comme ça, sous le balcon, il ne voit jamais la couleur de la pluie. Ou plutôt si, il la voit, mais ne la sent jamais sur lui. Ses roses sont rouges. Je finissais la salle de bain, leur crie de là-haut madame Tarty, je descends tout de suite.

Jeanne commence à sortir les bagages légers. Pas maintenant, lui dit Paul. L'homme aux yeux stupéfiés, immobile, sa clef à molette à la main, regarde le goudron de l'allée. Jeanne repose le sac qu'elle voulait sortir du coffre. L'homme soudain s'agite puis se dirige vers une porte ouverte à gauche du rosier. Paul le suit en attendant, s'arrête sur le seuil.

L'homme, au fond du garage, bricole une machine à laver. Paul est à l'ombre sur le seuil du garage. La tête de l'homme ressort du tambour. Paul se retourne, regarde sa voiture à côté de la ZX, Jeanne qui regarde la ZX. Je préfère la mienne, se dit-il. Il sort de l'ombre, le soleil tape encore dur, revient vers Jeanne. Je préfère la nôtre, dit-il à Jeanne, pas toi ? Jeanne, qui regardait la ZX sans la voir, elle pensait à autre chose, hausse les épaules, ou à rien, assommée par la route.

Paul, comme s'il venait de s'apercevoir que le garage est très encombré, se dit tant pis, je la laisserai dehors. Je la mettrai là, dit-il à Jeanne, lui montrant l'espace pelousé entre la maison et la haie des voisins. Jeanne s'approche de lui, longue jupe vague à fleurs, chemisier blanc, et, baissant la voix, lui dit : Je ne l'imaginais pas du tout comme ça. Paul regarde la maison pour la première fois. Au téléphone elle avait une voix de vieille, dit Jeanne.

C'est une femme de leur âge qui descend le grand escalier, bras ouverts en signe d'accueil, ou bien disant je suis désolée, ou bien les accueillant en leur disant je suis désolée. Jeanne, méchamment, a envie de lui dire : C'est vous qui faites le ménage ? Madame Tarty lui tend la

75

main en penchant la tête. Jeanne saisit la main au contact cifé qui lui rappelle la sienne le samedi matin. La main droite. Paul se dit tiens, elle est ambidextre. Madame Tarty secoue longuement la main de Jeanne en balbutiant des politesses. Puis celle de Paul, brièvement.

Vous avez fait bon voyage ? Oui.

Pas trop chaud ? Si.

Vous avez trouvé facilement ? Oui, enfin.

Venez, je vais vous faire visiter.

Paul a horreur de visiter quand il est crevé. Même quand il n'est pas crevé. Il aura tout le temps de visiter. Et quand il aura fini de visiter, il commencera à s'ennuyer. Il s'ennuiera même en visitant. La plupart du temps, il s'ennuie même en visitant. Il s'ennuie déjà. S'il n'était pas si crevé, il s'ennuierait déjà insupportablement. Il a envie de leur dire visitez sans moi mais Jeanne lui dit : Alors, tu viens ?

Visite guidée.

Paul, traînant derrière, écoutant les commentaires sans les écouter, c'est possible quand on est crevé, n'ayant strictement rien regardé, n'a absolument rien vu.

Après quoi, madame Tarty leur dit : Vous devez mourir de soif. A moins que vous ne préfériez que je vous fasse un café ? Paul dit avec plaisir, mais d'abord un grand verre d'eau. Si vous permettez, se reprend Paul. Plate ou qui pique ? Ce que vous avez mais en très grand. Vous êtes chez vous, dit madame Tarty. Tu parles. L'eau est dans le frigo. Paul aimerait bien être chez lui. Il donnerait cher, mais comme il a déjà donné très cher pour être ici. Vous avez des verres, là, à gauche. Là ? dit Paul. Oui, dit madame Tarty, préparant le café dans une Moulinex douze tasses.

Elle en dispose quatre sur une table basse face à une télé vétuste. Paul a tout de suite remarqué que la télé était vétuste. Il a hâte d'être tout seul pour l'essayer. Il compte les tasses, se disant nous ne sommes que trois.

L'homme aux yeux de loupe entre par une porte qui donne sur un couloir donnant sur un escalier qui descend dans le garage. Il est venu par là. Alors, c'est réparé ? lui dit madame Tarty. L'homme pousse un petit cri, ininintelligible. Assieds-toi, dit madame Tarty. Tu vas prendre un café avec nous.

Les tasses sont en terre cuite. Paul déteste l'opacité, le poids, le son mat de ces tasses en terre cuite. Surtout le bruit qu'elles font dans la soucoupe. On dirait une meule, une pierre lourde qu'il faut déplacer, ou plutôt le bruit que fait cette énorme pierre quand on la déplace, quand on peut.

Elle aurait pu, madame Tarty, tirer, ou rapprocher, le fauteuil de cuir, de style, disons anglais, à côté, qui se trouvait à côté de la cheminée pas vidée. Jeanne a remarqué. Pas question que je la vide, se dit-elle. On se passera de feu. Paul, pourtant, le soir, même l'été, quand il pleut.

Madame Tarty sert le café bien fort. A oublié. Va chercher le sucre, en offre. Jamais dit Jeanne. Paul dit oui deux. Puis, au lieu de rapprocher le fauteuil, elle s'asseoit en tailleur en face d'eux, touille, boit, allume une Marlboro, respire fort, est agitée, lance une question à Paul qui allume une des siennes, Jeanne répond à sa place, prend une cigarette, Paul lui donne du feu, Jeanne s'interrompt, Paul la regarde, Paul adore donner du feu aux femmes, surtout à Jeanne, madame Tarty regarde Paul donner du feu à Jeanne, elle aurait bien aimé que Paul mais bon, elle attend la fin de la réponse de Jeanne, Paul finit de répondre à sa place, c'est-à-dire à la sienne, l'air de dire à l'avenir évite de répondre à ma place, madame Tarty dit oui, oui, puis moi, voyez-vous, et à partir de là commence à raconter sa vie.

La tête de Paul bourdonne, le canapé tangue, des suites de sept heures de route. Et puis il y a quelque chose qui ne va pas dans le langage de cette femme. Quelque chose ne colle pas dans le discours de madame Tarty. Un verbe manque ici et là, reparaissant plus loin, dans une autre phrase, comme si madame Tarty, parlant trop vite, perdait des verbes, les retrouvant plus tard, cherchant à rétablir le sens, d'une phrase déjà passée, depuis longtemps, à moitié oubliée, sens qui du coup, du fait même, mais Paul n'essaie même plus de comprendre, se rend compte d'ailleurs qu'il s'en fout. Il regarde la chemise entrouverte, blanche, les dessous blancs, le short blanc, les jambes croisées, bronzées, les sandales plaquées or. Il a devant lui une incohérence de quarante-sept ans couverte de bijoux, et à côté de lui cet homme.

L'homme aquarium, immobile, regarde la télé éteinte. Le silence enfin s'est fait, solide. Il faut le rompre. Il faudrait. Il va bien falloir. C'est fait. Madame Tarty dit : J'espère que je n'ai rien oublié. Le supermarché est tout près. Vous prenez à gauche en sortant. Ensuite à gauche. Ensuite la première à droite. Puis : Ah oui, au fait, les transats. Robert, tu l'as cherchée la clef de la remise ? L'homme poisson bâille quelque chose, puis se lève et se met à tourner dans la pièce. Impossible de remettre la main sur cette clef, dit madame Tarty.

Pour le chèque on fait comment alors ? dit Jeanne. A la fin du séjour ? Maintenant ? Vous préférez maintenant ? La question affole madame Tarty. Elle regarde Paul comme si Paul. Paul regarde Jeanne et lui dit : Le plus simple, l'air de lui dire fais-le tout de suite. Rien ne presse, dit madame Tarty. Ce sera fait, dit Paul.

Un peu plus tard, la roue a tourné, ou plutôt la scène, le plateau a tourné, ce sont eux maintenant qui disposent des lieux, qui sont maîtres des lieux, Paul et Jeanne, Jeanne et Paul, du haut de l'escalier, regardent les deux autres monter dans la ZX, l'homme n'aura pas dit un mot, c'est madame Tarty qui conduit,

Jeanne lui fait signe de la main, Paul n'a personne à qui faire signe, il regarde Jeanne, il a
envie de lui dire un mot sur l'homme, ne dit
rien, Jeanne baisse son bras, regarde Paul, lui
dit : On fait le lit avant ou après les courses ?

2.2

Jeanne, le lendemain, a fini par trouver, au fond d'un pot, sur une étagère, dans une vitrine, la clef de la remise où étaient enfermés les transats, Paul va pouvoir se mettre à lire dans le parc.

Il a visité toutes les pièces, une partie hier soir en montant se coucher, le reste ce matin avant le petit déjeuner, il a même revu avec le regard du matin les pièces qu'il avait déjà vues avec le regard du soir, mais aucune ne lui a donné l'envie d'y lire.

Je ne vois plus que le parc, se disait-il, déjeunant sur la terrasse, regardant le parc, quand Jeanne est arrivée, la clef à la main, disant j'ai trouvé la clef de la remise, Paul disant comment sais-tu qu'il s'agit de la clef de la remise ?, Jeanne répondant c'est marqué sur l'étiquette, Paul exigeant de voir l'étiquette, Jeanne lui montrant l'étiquette, l'air de dire je sais lire, lui disant tu vas pouvoir te mettre à lire dans le parc.

Oui mais les transats sont bouclés dans la remise, se disait-il quand Jeanne est arrivée disant, on va pouvoir se mettre à lire dans le parc, Jeanne également avait l'intention de s'installer dans le parc pour lire, aussi s'était-elle mise à chercher la clef de la remise.

Paul, après le petit déjeuner, a visité les toilettes du bas. Bien. Mais sans ventilation et la cuvette se vidait mal. Ensuite, il avait le choix, entre la salle de douche du bas et la salle de bain du premier, peut-être la flemme de monter l'escalier, il s'est douché. Rien à dire. Si ce n'est que le bac à douche se vidait mal, le temps pour Paul de réexaminer la salle de douche. En se rasant, avant de se doucher, aussi loin que l'autorisait le cordon du rasoir, il l'avait déjà examinée.

Il en est ressorti refait à neuf, puis, traversant l'immense séjour, meublé à l'anglaise, rideaux blancs à fleurs bleues, papier peint idem, il se disait demain je prendrai un bain, puis, contournant le bar de la cuisine, attention, le bout est très très traître, regardant les placards de chêne clair, les équipements divers, puis, sortant de la cuisine, débouchant sur la terrasse en rond.

Au centre, une table ronde en pierre, cernée par des bancs de pierre, suffisamment espacés pour qu'on puisse s'échapper, mais qui parle de s'échapper ?, sans devoir enjamber les bancs ronds, accolés à un tertre, un petit mont, une collinette, arrangée façon jardin paysagé, peu entretenu, juste assez pour entretenir, réveillé au fond de son âme nettoyée, un vague plaisir mélancolique.

A propos, il se serait volontiers attardé devant les hortensias mais il avait quelque chose à dire à Jeanne, il avait aussi un livre à la main. Il a tourné à gauche, longeant le mur de bois, tous les murs du chalet sont de bois, puis, ce chalet est comme tous les chalets sont, puis, au bout de la galerie, observé par un chat, se disant tiens, un chat, le chat se disant tiens, un homme, il a, lui, Paul, descendu l'escalier qui donne sur le parc, voilà, il a maintenant les pieds dans l'herbe.

Jeanne a installé les transats sous les tilleuls, côte à côte. Les tilleuls, plantés jeunes et loin l'un de l'autre, se sont rejoints en vieillissant, se touchent maintenant, produisant en commun de l'ombre.

Il fait doux à l'ombre. Jeanne s'est mis de la crème, elle brille, elle sent bon. Paul, approchant, sent sa bonne odeur de femme qui ne fait rien. Elle est en train de lire un roman allemand. Il s'allonge près d'elle, ouvre Bernanos.

D'entrée, la préface de Malraux le fait braire, il lève le museau, regarde la petite fontaine à sec, le petit réverbère éteint, il fait jour, même la nuit, le salon de jardin, les pieds de chaise enfoncés dans les fleurs sèches tombées des grands tilleuls. Tiens, d'ailleurs, en voilà une qui tombe et tourbillonne.

N'osant pas déranger Jeanne, la déranger quand elle lit, elle ne lit qu'en vacances, préoccupé qu'il est par les cabinets, Paul la dérange quand même, lui dit : Tu as utilisé la douche ? Oui, dit Jeanne. Et tu n'as rien remarqué ? Si, dit Jeanne. Eh bien c'est la même chose dans les cabinets. J'avais remarqué, dit Jeanne, l'air de dire laisse-moi lire. Songeant : Pourquoi ai-je installé ces transats côte à côte ?

3.2

La veille au soir, vers sept heures et demie, soit environ trois heures après le départ de madame Tarty et de son mari, passées à défaire les bagages, faire le lit, choisir la chambre puis faire le lit, choisir la chambre en fonction du lit puis le faire, préférer telle chambre, tel lit dans une autre chambre puis le faire, pour ne pas avoir à le faire à minuit, Paul et Jeanne, pour la première fois, ont entendu la trompe du bateau.

Ils étaient installés sur la terrasse, se reposant des courses, buvant un Force 4, parlant de choses et d'autres, résumant la journée, isolant deux ou trois faits marquants, s'habituant au lieu peu à peu en jouissant de la paix du soir.

Ils se sont levés tous les deux, Jeanne répétant qu'est-ce que c'est ?, Paul s'énervant, disant c'est un bateau, probablement.

Tous les deux se sont levés pour voir, regarder, vérifier. Debout, ils pouvaient voir par-dessus la haie qui masque aux passants la maison, la route aux occupants de la maison, la maison est en retrait de la route.

De l'autre côté de la route, une sorte de jardin public, longue pelouse ombragée par de beaux grands arbres, au bord du lac immense entouré de montagnes, paysage à la Rilke avec embarcadère où deux fois par jour, le matin vers onze heures, le soir vers dix-neuf heures trente, un bateau arrive entre les arbres.

Il est beau, dit Jeanne.

Oui, dit Paul, ajoutant, il n'y a vraiment que les bateaux pour nous donner le sentiment, puis se taisant, se disant après tout les avions aussi, sans parler des trains et des gares, mais moins que les bateaux pourtant, peut-être parce que c'est plus lent, on s'en va lentement, on revient lentement, quand on revient, si on revient, le bateau accostait lentement, mais les trains aussi partent lentement, entrent lentement en gare, quant aux avions mais les avions ça vole, les trains roulent, les bateaux naviguent, il n'y a donc pas moyen de savoir lequel de ces moyens nous donne, il faudrait que les trains naviguent, que les avions roulent, ils roulent, les bateaux aussi, il faudrait qu'ils volent, comme les avions mais non, non, de toute façon, non, je n'aimerais pas qu'ils volent, non, ce que j'aime dans les bateaux, dit Paul.

4.2

Le surlendemain, pendant que son bain coulait, Paul a revisité la grande chambre du premier, la plus belle des quatre, la mieux exposée, face au lac, meublée elle aussi à l'anglaise, avec aux murs des gravures reposantes, enfin, tout dépend de ce qu'on entend par reposantes, les sous-bois, les scènes de chasse, les abois, les biches aux yeux fous qu'on déchire, ça ne le repose pas, les jeunes filles alanguies, oui, peut-être, et encore.

Il prend son bain. Après quoi il vide la baignoire. La baignoire se vide plus que lentement. Bon bah d'accord, se dit-il, je ne réutiliserai pas la baignoire, et, n'ayant pas l'intention de la réutiliser, obéissant au résultat d'un dressage en deux temps, maternel puis marital, il se dit, je vais la nettoyer, je vais ôter les traces de ma crasse, sachant que, plus une baignoire se vide lentement, plus elle laisse des traces de crasse. Il attend qu'elle se vide. En attendant, il sort sur le balcon.

Il fait beau, très chaud, les baigneurs ont envahi les rives du lac, des femmes, peu d'hommes, bronzent sur la pelouse, les enfants crient, plongent, des tables sont dressées pour le pique-nique, la grand-mère assise dans un pliant attend, des voitures passent sur la route.

Paul écoute le bruit que fait tout ça. Tout à coup, il sent l'odeur. Il se demande d'où ça vient. En même temps, là-bas, sur la pelouse, il voit une femme, toplessée, se retourner, puis se lever, puis s'éloigner, l'air dégoûté, traînant sa longue serviette, son drap de bain, visiblement prévenant les autres, les prenant à témoin, d'autres bronzés se lèvent, vont s'installer plus loin.

Paul, du balcon, se demande ce qui les fait fuir. Réfléchissant, il baisse les yeux. C'est alors qu'il voit la bouche, près du portail, vomir une boue noirâtre.

L'eau jaune passe sous la grille, emplit le caniveau, se répand sur la route. La chaleur aidant, l'odeur empeste. Les baigneurs fuient, jetant des regards vers la maison. Jeanne, lisant dans le parc, a elle aussi senti l'odeur. Elle se lève, abandonne son livre sur le transat, ôte ses lunettes, accourt, appelant Paul.

Je suis là, lui crie Paul du balcon. Tu sens cette odeur ? lui dit Jeanne, la tête en l'air, ses lunettes ouvertes à la main. Elle a l'air comme ça d'une femme qui tape les manuscrits de son mari, le consultant sur une question de ponctuation, douteuse selon elle.

Je sens, dit Paul, je sens. D'où ça vient, d'après toi ? dit Jeanne d'en bas. De là, dit Paul, montrant la bouche près du portail. Jeanne, d'où elle est, ne peut pas voir. Où ça ? dit-elle. La bouche d'égout près du portail, dit Paul. Dehors ? dit Jeanne. Non, dit Paul, dedans. Jeanne descend l'escalier, se griffe le bras en passant trop près du rosier, tourne à gauche, s'arrête à mi-chemin dans l'allée, voit ça, recule, revient vers Paul.

Paul, de là-haut, la voit revenir. Elle monte l'escalier. Paul est troublé. Paul est toujours troublé par un nouveau point de vue sur les gens, même très proches, surtout très proches. Paul n'avait jamais vu Jeanne de ce point de vue-là. Qu'est-ce que ça change ? Rien. Elle porte une petite robe à fleurs, la bleue avec des fleurs jaunes, rouges, de chaque, des jaunes et des rouges, ça lui va bien. Paul aime bien la voir dans cette robe-là. Immanquablement, ça lui donne envie d'elle. C'est pas le moment, se dit-il. Si je lui dis ça, elle me dira c'est pas le moment, ou bien tu crois que c'est le moment ?, ou bien tu crois vraiment que c'est le moment de parler de ça ? Qu'est-ce qu'on va faire ? dit-elle d'en bas. Elle est toute retournée. J'en sais rien, dit Paul d'en haut, on va appeler Tarty, qu'est-ce que tu veux qu'on fasse ?

5.2

Paul, Jeanne, madame Tarty, étaient d'accord. On se passera de téléphone. Oui. On n'a pas besoin de téléphone. Non. On veut avoir la paix. Oui. Pas de paix possible avec le téléphone. Non ? Si. Entièrement d'accord. J'ai bien pensé le laisser branché mais après, pour faire les comptes. Vous avez raison. Je l'ai débranché. Vous avez bien fait. Madame Tarty l'avait même planqué avant l'arrivée de Paul et Jeanne.

Jeanne a fini par le trouver sous une double couche de vieux matelas au sous-sol à côté de la chaudière. On ne risquait pas de le trouver. Jeanne l'a trouvé. Elle est formidable pour ça, Jeanne. Je sais où il est, dit-elle. Où ça ? dit Paul. Jeanne lui dit où. Ça fait rire Paul de voir Jeanne lui dire où. Elle a l'air d'une gamine qui aurait fait un mauvais coup. Ce qui le fait rire

aussi c'est d'apprendre où était planqué le téléphone. Il va le chercher, se disant c'est pas vrai,
enfin, c'est pas vrai.

Si, si. Il était effectivement planqué sous de
vieux matelas à côté de la chaudière. Elle se
remet en route. Ah bah voilà, c'est ça le bruit
qu'on entendait cette nuit, voilà pourquoi on
avait tellement chaud, se dit Paul au sous-sol.

Il revient avec le téléphone. Tu as trouvé ?
ricane Jeanne. Oui, dit Paul, l'air de dire, cette
bonne femme est complètement folle. Il le
branche, ricanant. La prise est au pied d'une
vitrine contenant toutes sortes de théières,
sucriers, pots à lait. A propos, la clef de la
remise était dans l'un de ces pots.

Allô ? dit Paul, je voudrais parler à madame
Tarty. Elle est pas là, répond une voix de garçon rappelant à Paul, étrangement, la voix de
madame Tarty mais bon. C'est pour quoi ? dit
le supposé jeune homme. Paul a du mal à se
défendre contre une pensée relative à Psychose,
le fils reproduisant la voix de la mère, le fils
ayant tué mais bon. Le fils identifié, ayant tué
mais bon. Le fils ayant tué, identifié pour que
la mère mais bon. Le fils ayant tué parce
qu'identifié mais bon. La mère ayant tué le fils
parce que mais bon. Le fils se tuant en tuant la
mère mais bref. Je suis son locataire, dit-il. Ah
bon, dit le jeune homme, attendez, je vais vous
passer mon père. Paul, très inquiet, dit non,
non, c'est pas la peine, je rappellerai. Trop tard.

91

Le jeune homme appelle son père. Papa ! Puis passe Paul à son père. C'est le locataire, dit-il, d'une voix que Paul, décidément, c'est elle, se dit-il, je suis sûr que c'est elle. Le père prend l'appareil.

Allô ? dit monsieur Tarty. Sa voix est claire, fredonnante. Paul est déconcerté. Mais alors vous parlez ? dit-il. Si je parle ? dit monsieur Tarty, bien sûr que je parle, pourquoi vous dites ça ? Bah parce que, quand on s'est vus, samedi dernier, il m'avait semblé, dit Paul. Samedi dernier ? dit monsieur Tarty, vous dites samedi dernier ?, vous m'avez vu samedi dernier ?, vous êtes sûr ?, attendez voir, où ça ? Bah chez vous, ici, dit Paul, vous répariez la machine à laver.

Fou rire au bout du fil, suivi d'une conversation étouffée. Monsieur Tarty, la main sur le microphone, étouffant de rire, est probablement en train de dire à son fils que Paul, voyant Robert, a cru que c'était lui :

C'était pas moi, dit-il, c'était Robert, il est muet, un peu idiot, mais adroit de ses mains, ma femme l'utilise, à part ça ?, qu'est-ce qui vous amène ? Bah voilà, dit Paul.

J'appelle la mairie et je vous rappelle, dit monsieur Tarty. Ah bah non, dit-il, j'oubliais, le téléphone est débranché, vous m'appelez d'une cabine ? Je l'ai rebranché, dit Paul. Ah bon ? dit monsieur Tarty, vous l'avez trouvé ? Nouveau fou rire. Nouvel échange masqué. Paul, mi-amusé, mi-vexé, attend. Ces deux cons

se foutent de ma gueule, se dit-il. Allô ? dit
monsieur Tarty. Oui, dit Paul. Bon alors j'appelle la mairie et je vous rappelle, dit monsieur
Tarty.

Il rappelle. J'y vais, dit Paul.

Ça ne concerne pas la mairie, dit monsieur
Tarty, je croyais mais non, il faut que j'appelle
une entreprise, je vous rappelle.

Il rappelle. J'y vais, dit Paul.

Je suis tombé sur un répondeur, dit monsieur
Tarty : Bon, écoutez, dit-il, ça m'ennuie, là, mais
j'ai pas le temps, il faut que je parte, ma femme
est à l'asile. Ça m'étonne pas, dit Paul.
Comment ? dit monsieur Tarty. Paul dit :
Excusez-moi, j'ai pas compris : Votre femme est
où ? A la clinique, dit monsieur Tarty. Rien de
grave, j'espère, dit Paul. Non, dit monsieur
Tarty, mais enfin : Bon, écoutez, dit-il, soyez
gentil, je vais vous donner le numéro, là c'est
l'heure de déjeuner mais après le déjeuner,
essayez de les appeler, vous leur expliquez, vous
dites que c'est pour moi, vous avez de quoi
écrire ? De quoi écrire, de quoi écrire, heu, oui,
dit Paul, j'ai de quoi écrire, enfin, je crois, attendez une seconde, ne quittez pas.

6.2

J'y vais, dit Paul. Il était temps, dit Jeanne, je meurs de faim. Paul se lève. Jeanne, d'abord tentée d'aller voir elle aussi, reste allongée. Elle porte une robe blanche à petites fleurs noires si nombreuses qu'on dirait des fleurs blanches sur une robe noire. Elle est en train de lire Le loup des steppes. Pas terrible, d'ailleurs, Le loup, ça la déçoit. Ce n'est pas la faute du titre prometteur, elle le connaissait déjà. Elle avait lu ça quand elle était jeune fille. En passant, au supermarché, elle l'a vu, elle l'a pris. Si elle y réfléchit, c'est comme si elle avait rencontré, dans un lieu des plus inattendus, l'un des volumes perdus de sa jeunesse. Ça a mal vieilli, pense-t-elle. Ou alors c'est elle, mais ça l'étonnerait. Ou alors elle confond avec un autre livre. Oui, c'est bien possible. Paul l'a relu aussi. Elle se propose de lui demander, plus tard, ce qu'il en pense. Si elle ose, parce que, chaque fois qu'elle ose, elle ne trouve pas les mots pour dire ce qu'elle pense, ça énerve Paul, qui lui souffre a contrario. Paul trouve aisément les mots pour analyser sa pensée qui très vite lui paraît totalement vide de sens, ça énerve Jeanne, de voir Paul se déprécier. Elle le regarde s'éloigner. Il est encore pas mal pour son âge, se dit-elle.

Il remonte l'escalier, suit la galerie le long du mur couvert de rondins bruns, tourne à droite, enveloppe l'arrondi des bancs de pierre, passe devant la baie ouverte du living, descend le grand escalier, évite le rosier, s'engage dans la pente de l'allée s'élargissant jusqu'au portail.

Un camion citerne, vert d'eau claire, est rangé devant la grille, le moteur tourne. Son chauffeur, un jeune type blond en brosse, vêtu d'un tee-shirt et d'un jean, est appuyé à la grille, l'air d'attendre qu'on le libère. Il s'apprêtait à resonner. Il a vu apparaître Paul. Il le laisse venir.

Paul vient en plein soleil, polo bleu, pantalon beige. Il ne s'est toujours pas changé. Comme si pour lui l'idée de changement n'avait qu'un sens moral. Ou plutôt, n'avait plus qu'un sens moral. Et puis, il se trouve bien dans ces vêtements-là, bien au sens de confortable, à l'aise. Pour le reste, il évite de se regarder. S'arrête devant la grille, regarde le jeune homme. Depuis quelque temps, il est extrêmement sensible à la jeunesse des hommes. Des femmes aussi, mais là c'est un homme. Homme ou femme, c'est à leur jeunesse qu'il est sensible. Puis le camion. Ouvrez la grille, dit Lorettu, sur un ton, pas vraiment impératif, mais Paul.

Ouvre le battant gauche, en grand, le cale, revient pour ouvrir l'autre. Le battant droit est verrouillé par une barrette. Paul essaie de la dégager, se casse un ongle. Se tenant le doigt, il se souvient des recommandations de madame Tarty : Il faut utiliser le tournevis. Le tournevis est planqué dans un trou, sur la droite, près de la haie. Paul va chercher le tournevis, le trouve assez vite, revient avec, à manche rouge, soulève la barrette. Lorettu ricane. Paul, vexé, comme pour s'excuser, lui dit : Je n'habite pas ici, je suis en vacances, puis va remettre le tournevis en place. Revient, ouvre le battant droit, en grand.

Alors, qu'est-ce qui se passe ? dit Lorettu. Paul, au téléphone, a déjà tout expliqué, trois fois. Il s'étonne qu'on n'ait pas, au moins une fois, à ce garçon-là, tout expliqué. Il recommence. C'est simple, dit-il, j'ai utilisé la salle de bain du premier, il montre du doigt le balcon, Lorettu regarde le rosier, et, quand j'ai voulu vider la baignoire, la bouche qui est là, il montre la bouche, Lorettu regarde sa montre, s'est mise à vomir de la merde. Au mot merde, Lorettu a un mouvement de recul. Le mot merde l'a surpris dans la bouche de cet homme distingué. La surprise passée, ça le fait sourire, d'autant plus que Paul vient d'ajouter : On a beau se savoir sale, quand même, à ce point-là. Paul adore gagner la sympathie par des plaisanteries, même douteuses, surtout douteuses. Plus elles sont douteuses, plus il espère qu'elles susciteront l'antipathie. Paul et Lorettu ricanent, à la frontière du sympa et de l'anti. Puis Lorettu dit bon, on va voir ça, je vais reculer le camion. Vous croyez que ça passe ? dit Paul. Mais oui, dit Lorettu.

Il grimpe dans le camion, desserre le frein à main, claque la portière, embraye sèchement, manœuvre sur la route. La route est sèche. Les traces ont séché au soleil. On les voit encore mais ça ne sent plus. Près de la bouche, oui. Ailleurs, non. Les bronzeurs sont revenus, des bronzeuses. Paul, d'où il est, les voit de près. Paul est toujours troublé par un nouveau point de vue. Il se revoit là-haut, les voyant de là-haut, se voit là, les voyant de là, ça l'inquiète, l'affole un peu, il y sent comme une alarme, croit entendre une sonnerie.

Avertisseur de marche arrière, bruit de freins, rouge des stops. Le camion, bien en face, recule. Paul aussi, faisant des gestes. Paul, voyant Lorettu hésiter, fait des gestes. Ça passe, dit-il, ça passe, c'est juste mais ça passe, allez-y, mais allez-y, je vous dis que ça passe. Lorettu se fout des gestes de Paul. Il le voit s'agiter dans le rétro comme un pauvre type qui dirait ne me laissez pas, ne me laissez pas, ne partez pas, emmenez-moi. Stop, première, il repart, braque, corrige, recule de nouveau, ça passe, frôle, recule encore, voilà, stop. Bruit d'air, comprimé, exprimé, portière. Il saute de la cabine, se faufile entre la roue avant et le montant du portail. Il a du mal. Il passe à peine. C'était vraiment juste, se dit Paul. Lorettu, longeant le camion, se présente devant Paul.

Devant Paul, il se change. Lorettu passe une combinaison vert d'eau. Paul le voit changer de peau. Ça le trouble de voir ce jeune homme entrer dans une autre peau. Comme par effet de mue inverse, Lorettu enfile par-dessus son jean et son tee-shirt cette peau qui est ouverte au ventre, comme éventrée, la referme sur son ventre. Il ne reste rien de l'altiste parkerien.

Et à part la salle de bain ? dit-il, le reste aussi est bouché ? Oui, je crois, dit Paul, je n'ai pas tout visité mais je crois. On va voir ça, dit Lorettu.

Il décroche un outil à l'arrière du camion, soulève le regard. Le regard est plein. A la surface, surnagent. L'odeur est forte. Paul recule. Lorettu reste au-dessus. Je vois, dit-il.

Il monte sur le camion, ouvre des vannes, abaisse des manettes, ça siffle, ça se met en marche, la pompe tourne, ça vibre, puis il décroche les éléments d'un gros tuyau flexible, les assemble, branche une extrémité sur la pompe, plonge l'autre dans la fosse, remonte sur le camion, lève une manette, ça se met à ronfler, le tuyau bondit sous la charge, tremble de tout son membre, Paul imagine ce qui se passe là-dedans, et, dans la chaleur, il demande : Y en a pour longtemps ?

Comment ? dit Lorettu. Il ne quitte pas des yeux le tuyau plongé dans la fosse. Je vous demande si y en a pour longtemps, lui crie Paul dans l'oreille. Le vacarme est tel que les deux visages sont en lutte contre le vacarme. Puis en lutte l'un contre l'autre. L'un hurlant pour se faire entendre, l'autre renonçant à hurler, articulant. Deux minutes, articule Lorettu, montrant deux de ses doigts.

Paul, tout content, court vers Jeanne pour la prévenir, pourquoi d'ailleurs est-il si content ?, pourquoi suis-je si content ?, se dit-il, courant vers Jeanne pour la prévenir, il est content comme s'il avait le sentiment, quel sentiment ?, ça va me revenir, le sentiment comme quand, étant enfant, il était celui qui venait prévenir, ou qu'on avait chargé de prévenir, mais qui ?, de quoi ?, innocent go-between, il courait comme maintenant, avec la joie d'avoir à dire, voilà, c'est ça : A table !, on l'avait chargé de dire aux autres qu'il était temps de passer à table.

Alors ? dit Jeanne, c'est le camion qui fait tout ce bruit ? Elle ôte calmement ses lunettes. Paul l'aime bien avec ces lunettes-là. L'autre monture, qui est blanche, non. Celle-ci, oui, beaucoup, ça lui va bien, ça lui donne un air, il l'embrasse, ce sera fini dans une minute, dit-il, on va pouvoir passer à table. Tant mieux, tant mieux, dit Jeanne, un peu troublée par ce baiser bizarre. Intuitivement, elle sent que ce baiser brûlant venait de quelque part. Paul y retourne.

Lorettu saute du camion. Il vient de couper la pompe. Alors ? dit Paul. Ça va, c'est bon, dit Lorettu, on va faire des essais. Des essais ? dit Paul, se voyant déjà, obligé de se forcer, à une heure qui n'est pas la sienne, puis réfléchissant à la précision horlogère du transit, la Suisse est en face, puis aux effets bloquants du chocolat, riche en magnésium, j'en ai besoin, se dit-il. Oui, dit Lorettu : Vous allez ouvrir tous les robinets, tirer la chasse d'eau. Y en a plusieurs, dit Paul. Toutes, dit Lorettu, les salles de bain. Je n'en connais qu'une, dit Paul. Des douches ? dit Lorettu. Deux, dit Paul. Les deux douches, dit Lorettu, les éviers, enfin tout, vous ouvrez tout et vous laissez couler, vu ?

Paul a besoin d'aide. Il court vers Jeanne, lui explique. Elle consent à fermer son livre, ôte ses lunettes. Dépêche-toi, dit Paul. Elle se dépêche, lui aussi. Tous deux courent. Jeanne se charge du rez-de-chaussée, Paul de l'étage. Il ouvre tous les robinets, sort sur le balcon, appelle Jeanne. Elle sort de la cuisine. Sous le balcon, elle lève la tête. Tu as tout ouvert ? lui crie Paul. Oui, tout, crie Jeanne. Très bien. De là-haut, Paul fait signe à Lorettu. Ça coule ?

crie-t-il. Lorettu, de là-bas, secoue la tête, lève un pouce. On peut fermer ? lui crie Paul. Lorettu se penche sur le trou, se redresse et, regardant le rosier, croise les avant-bras à plusieurs reprises.

Paul ferme tout, redescend, ressort par le living. La télé, oubliée, allumée, siffle, l'antenne est couchée sur le toit. La télé, bien que vétuste, souffrait seulement d'une mauvaise réception, souvent parasitée par les cibistes, en général des routiers se racontant des histoires salées au milieu d'un film d'art ou d'essai qui ne l'est pas, ou pas assez. Il rencontre Jeanne sur la terrasse. Tu as bien tout fermé ? dit-il. Oui oui, dit Jeanne. Un instant tentée d'aller voir à quoi ressemble Lorettu, elle fait demi-tour, retourne dans le parc. Paul, lui, revient vers Lorettu.

Il est en train d'ôter sa combinaison. L'ôtant, il chante. Pas n'importe quoi. Ça frappe Paul. C'est rare d'entendre un type chanter comme ça. Surtout ça. Ce qui étonne Paul, c'est que Lorettu chante ce thème de Parker, extrêmement difficile, comme tous les thèmes de Parker, avec une justesse, une précision absolument époustouflante. Ça l'étonne tellement qu'il le lui dit.

Je suppose qu'on vous l'a déjà dit, dit Paul. Quoi ? dit Lorettu. Vous ressemblez étrangement à Gerry Mulligan, dit Paul. On me l'a déjà dit, dit Lorettu, se disant, entre nous, je préférerais ressembler à Charlie. Au Mulligan de la

grande époque, dit Paul, l'époque de Walkin'
shoes, de Bernie's tune, du fameux quartette
avec Brookmeyer. Chet Baker, dit Lorettu. C'est
juste, dit Paul. Non, c'était Brookmeyer. Peu
importe, dit Lorettu. Il a beaucoup changé, dit
Paul, il a maintenant les cheveux longs et la
barbe. Je sais, dit Lorettu. Je suis allé l'écouter
à New York, dit Paul. Vous êtes allé à New York
pour l'écouter ? dit Lorettu. Paul ricane. Non,
dit-il, j'étais à New York, je suis allé l'écouter.
Et alors ? dit Lorettu. Paul réfléchit, l'air de se
faire prier. Paul aime assez l'idée soudaine, le
plaisir soudain d'intéresser ce gamin. Il est
encore très bien, dit-il, sa sonorité n'est plus
tout à fait la même mais. Mais quoi ? dit
Lorettu. Il a joué aussi de l'alto, dit Paul, ça m'a
étonné. Ah bon, dit Lorettu.

Lorettu plie sa combinaison. Paul continue
de penser tout haut. Il se revoit là-bas, près de
Mulligan, lui adressant la parole, sourit au souvenir de sa gentillesse, lui disant je suis français,
de passage, Mulligan l'invitant à rester pour la
session d'après.

Lorettu longe le camion, monte dans la
cabine, redescend, revient, un classeur à la
main, une petite signature, dit-il.

Vous êtes musicien ? dit Paul, prenant le Bic-
clic bleu : Je signe où ? Là, en bas, à droite, dit
Lorettu : Je joue de l'alto. Vous jouez de l'alto ?
dit Paul, signant. Oui, dit Lorettu, admirant la
signature de Paul. Vous jouez comme ça pour

102

le plaisir ou bien ? dit Paul, lui rendant le Bic-
clic. Une fois de temps en temps, dit Lorettu,
dans un bar, en ville, en semaine, et tous les
dimanches au monastère.

3

JAZZ AU MONASTERE
Ts les dimanches,
De 15 h à 19 h.
Basile LORETTU, alto sax.
Georges VALMONT, trompette.
Gérard NASSOY, basse.
Patrick GRESSE, piano.
Claude LACLOS, drums.

1.3

De la base au sommet, une montagne, c'est d'abord un virage, ensuite des virages, une longue suite de virages, scandée par des ciels ouverts, des vues de la vallée, des sous-bois de sapins verts, et enfin pour finir un virage. On est au sommet ? dit Jeanne. Pas tout à fait, dit Paul, mais je voudrais voir le monastère.

En fait de monastère. Si, c'est quand même un monastère. Bon, c'est un monastère. Mais somme toute assez laid, sans intérêt. Une longue bâtisse banale, de mauvaise foi, sans doute même assez récente, ou réhabilitée, de quelle façon, ou camouflée, faut voir, défigurée à la mode protestante. D'où la déception de Paul. Relative. Enfin quand même. Avoir enfilé tous ces virages avec un Belge au train qui poussait Paul à l'imprudence. Va moins vite, dit Jeanne.

C'était bien la plaque d'un Belge. Une japonaise avec une plaque belge. Les Belges, comme les Américains, qui font tout comme les Américains, se sont mis aux japonaises. La mienne is fantastic, dirait le Belge à Paul, s'il roulait devant Paul. Ce Belge me pousse, dit Paul. T'occupe pas de lui, dit Jeanne.

Le Belge s'est arrêté à mi-hauteur dans un camp de toile au milieu duquel on avait hissé le drapeau belge. Paul aperçoit le drapeau belge, se dit tiens, le drapeau belge, puis chouette, le Belge va me lâcher. Paul supposait que le Belge regagnait son camp. Il avait raison. Le Belge l'a en effet lâché en sortant un peu vite du virage pour s'engager en tête-à-queue dans une clairière au centre de laquelle on avait dressé un camp de toile.

D'où la déception de Paul. Relative. A quoi ? A l'idée qu'on se fait d'un monastère. Vide, en général. Voilà, c'est ça. Celui-là est occupé. C'est ça qui me gêne, pense Paul. On ne peut pas visiter. Ça l'empêche de penser. Ou plutôt, ça l'oblige à penser. A quoi ? Une seconde. Aux gens qui sont là-dedans. Voilà. La présence invisible de ces hommes. Il suppose que ce sont des hommes. Appelons ça des hommes. Comment veux-tu les appeler ? Des femmes. Après tout, ce sont peut-être des femmes. Ou les deux, un peu de chaque, pour durer. Lui rappelle. Non pas lui rappelle, il n'y avait jamais pensé. Lui fait remarquer. Ou plutôt observer qu'il est à deux doigts de penser,

108

ou deux pas, même pas : Fais attention, dit Jeanne, tu vas tomber.

Paul, réfléchissant à la beauté architecturale dans ses rapports avec l'esprit ou l'âme des gens qui vivent dedans, se disant au fond, le plus important, à deux doigts de conclure que le plus important, au fond, s'était un peu approché du bord, du précipice, de l'abîme. Il regardait une petite plate-forme en contrebas, les trois tentes de couleur, un amour de trois tentes, ou l'amour des trois tentes, deux bleues, une rouge, pas des tentes ordinaires, genre bivouac de haute montagne. Bel endroit pour camper, dit-il, exaltant ses regards vers le panorama. Ils sont mieux là que les Belges en bas. Il n'en pense pas un mot. Sans doute est-ce ironique. Jeanne a l'habitude, elle ne répond pas.

Elle lui dit : Tu as vu l'affiche ? Quelle affiche ? Là-bas, dit-elle, sur le panneau. Histoire du panneau. L'Histoire dans le panneau. Le panneau fait l'historique, relate, retrace, en deux mots, faits, circonstances, passage de grands noms par ici, tout ça remonte au XIIIᵉ siècle. Paul suit le sourire de Jeanne. Jeanne sourit parce qu'elle pense que Paul. Elle a raison. Paul s'approche, lit l'affiche punaisée à même le panneau.

Curieux, le nom de l'altiste, dit-il, tu ne trouves pas ? On dirait un nom né d'une interrogation conditionnelle. Comprends pas, dit Jeanne. Paul respire, déjà content de lui :

L'aurais-tu, l'obligeance, si je te le demandais, de sortir de ton horrible sac le briquet qui m'est nécessaire pour allumer la cigarette que tu vas m'offrir ? Sers-toi, dit Jeanne.

Paul fouille dans le sac de Jeanne. Paul adore fouiller dans le fouillis des femmes. Particulièrement dans celui de Jeanne qui n'a plus de secret mais qui reste un mystère. Il en extrait briquet et cigarettes, en offre une à Jeanne, lui donne du feu, la regarde fumer, s'allume lui-même et dit à Jeanne : J'adore les femmes qui fument, je t'ai épousée parce que tu fumais. Et moi parce que tu jouais du saxophone, dit Jeanne.

Un mot là-dessus. Ils se sont connus dans une cave. Paul jouait du ténor en quartette, admirablement bien. Jeanne était là avec sa sœur. Elles étaient folles de jazz. Sa sœur a épousé le batteur.

Je vais visiter, dit Paul, tu viens ? Jeanne n'ose pas. Vas-y tout seul, dit-elle, je préfère t'attendre, je vais m'asseoir dans la voiture.

Paul, déambulant dans les allées gravillonnées, longeant des pelouses, des parterres de pensées, croise une sœur, pense un instant se dérober, s'arrête, salue, dit, s'apprête à dire, ne sait pas comment dire, comment saluer, il repense à un film, non, pas Vertigo, encore que, revoit ce grand gangster, peut-être était-ce Robert Ryan, n'était-ce pas plutôt Robert Mitchum ?, l'entend dire bonjour ma sœur, dites-moi ma sœur, il doit y avoir une erreur, vous avez un club de jazz ici ?, non, vous n'avez pas un club de jazz ici.

Mais si, mais si, dit la petite sœur. Son visage pâle fait de la peine à Paul. Elle n'est pas maquillée comme à Hollywood. A Hollywood, les sœurs ont toujours l'air de bourgeoises adultères trop pressées de sauter dans la robe. Elles acceptent le rôle vite fait mais refusent de se démaquiller. Ou alors ce sont les gens, leurs fans, qui refuseraient de les voir sans maquillage. Oui, c'est sûrement ça. D'ailleurs on s'en fout. De quoi je me mêle ? Après tout, elles ont le droit de vouloir plaire à Dieu. A qui ? Rendors-toi.

On leur laisse la crypte le dimanche, dit-elle, à ces jeunes, ça fait de l'animation. Paul attend le culturel mais la petite sœur n'ajoute pas culturelle. La crypte ? dit-il. Suivez la flèche. Attention à la marche.

Paul ne la loupe pas, pour une fois, descend les autres, découvre la crypte, la fraîcheur, la lumière, l'odeur, le silence, le sol au fond couvert d'un tapis de grosse corde, la batterie sur le tapis, le piano droit, la basse appuyée au piano, mais ce qui l'émeut le plus, outre les fresques effacées aux deux tiers, c'est cette statue de chevalier sous la clarté, sous une ouverture vitraillée, cette sculpture plus petite qu'un homme, plus grande qu'une statuette, ni baby ni homme, entre éphèbe et guerrier, jouvenceau à peine sevré, mouchant du lait, buvant le sang de qui vous savez, ou rêvant de le boire tout en ayant l'air de l'avoir déjà sifflé, fin prêt pour ça à nous tailler en pièces, bref, un chevalier, si d'aventure vous lui dites non, mon petit gars, ça n'existe pas, bref, un chevalier, reposant sur un socle où est inscrit, gravé, le mot reconnaissance.

C'est trop pour l'homme qu'est Paul. Le jazz mort, pour lui, la reconnaissance, échouée, il sait où, le silence, la lumière sur le visage du chevalier, une telle douceur dans le visage du chevalier.

Je veux voir le sommet, dit Jeanne. Donne-moi une cigarette, dit Paul. Jeanne en prend une aussi. Ils ont un peu honte de fumer à pareille altitude. On a réussi à leur inoculer la honte. Mais le plaisir est encore le plus fort. La honte n'a pas prévu le plaisir de fumer à deux. Tout seul, il se peut qu'on se laisse démolir. A deux, on résiste. Moi je veux bien, dit Paul, mais la route s'arrête là. Le reste, faut le faire à pied. Ça me fait pas peur, dit Jeanne, toi si ?

Jeanne est mal chaussée, de sandales, Paul aussi. La seule voie praticable est en fait une espèce de ravine à pic hérissée de racines. Jeanne monte devant, glisse, redescend, Paul la pousse aux fesses. La poussant, il y pense. Souhaite ne plus la pousser, ne plus penser. La repousse. Ne peut plus, dès lors, s'empêcher d'y penser.

112

Ah, on s'arrête, dit Jeanne, à demi retournée, robe retroussée jusqu'à mi-cuisses, jambes écartées, genou droit fléchi là-haut, jambe gauche tendue plus bas, en appui, quoi, mains sur les hanches, essoufflée, mais alors. Paul n'a jamais vu quelqu'un souffler comme ça. Jeanne étouffe. Lui aussi. Ça fait peur de se voir comme ça étouffer. On pense à tous ceux. Etouffer en se regardant l'un l'autre. Cherchant de l'air dans l'autre. Il la regarde chercher de l'air en lui. Cherche de l'air en elle.

Le sommet est plat, bordé de petits arbres. On ne voit rien. On est là et on ne voit rien. On est venu là pour voir et on ne voit rien. C'est là qu'on envie ceux qui voient, on les envie et puis on se dit, non, non, on se dit rien, on cherche.

Ils finissent par trouver une trouée, au bout d'un sentier longeant la crête. Des sapins viennent d'être coupés, le sol est jonché de souches, les pieds s'enfoncent dans la sciure répandue. Ils choisissent une souche assez large pour s'y asseoir à deux. Ils s'asseoient, se reposent, contemplent le paysage. Faut dire que le paysage. Jeanne sourit, l'air de dire j'avais raison, n'avais-je pas raison ?

Ils dominent la vallée. Non, c'est la vallée qui les domine, pleine de brume mais la brume est si légère qu'ils distinguent très scintillants les reflets du soleil sur le lac.

Il est huit heures moins le quart. On est bien.

Non, Paul ne peut pas se sentir bien, pas long-temps, sa pensée le reprend. Jeanne est assise là à côté de lui dans sa petite robe à fleurs très décolletée. Le soleil du soir lui dore le visage. Elle ne quitte pas des yeux le paysage. Il la regarde regarder le paysage. Il est jaloux du paysage. Il aimerait bien qu'elle le regarde un peu. Il pose sa main sur le genou de Jeanne, laisse remonter sa main. Jeanne, délicatement, saisit la main de Paul et la lui rend. Elle se lève la première.

Paul la suit sur le sentier. A cause de son geste, ou du sien, de son geste répondant au sien, il a envie de la balancer dans le vide, ou lui, ou avec elle. En finir avec ça avant que ça finisse avec soi. Des niaiseries, quoi. Du coup, il retrébuche sur la même pierre, un rocher qui affleure. Cette fois, il s'arrête, regarde, se penche, se baisse, s'accroupit, appelle Jeanne : Viens voir, dit-il. Jeanne revient sur ses pas, continuant de penser à ce qu'elle pensait, peut-être à la même chose que lui, va savoir. Personne, ni Paul ni personne, ne saura jamais à quoi Jeanne pensait. Elle se penche elle aussi. Son décolleté bâille. Par bonheur, Paul regarde ailleurs. Il regarde la pierre. Sur la pierre sont inscrits un prénom, un nom, une date. Ça n'a l'air de rien mais Paul. La date est très ancienne, 1951. Paul est ému. Jeanne non. Enfin si, elle l'est, mais uniquement à cause de l'émotion de Paul. Ça touche les femmes de voir les hommes s'émouvoir pour ce genre de bricoles.

Redescendant le col, sur la route, dans la voiture, Paul, conduisant, se demande encore pourquoi ce type en 1951 a éprouvé le besoin, puisque le besoin on l'éprouve. Il est en train de rattraper deux cyclistes. Les deux vététistes dévalent la pente à toute allure. Il double le premier. Veut doubler le second. Essaie. Rien à faire. Il va trop vite. Il y a trop de virages. Il reste derrière. Le suit, l'observe, et, plus le temps passe, plus il a peur. Il le dit à Jeanne. Jeanne prend la peur sur elle, réagit, lui rend sa peur, lui demande de quoi il a peur, se retient d'ajouter encore, de dire, de quoi as-tu peur encore ? J'ai peur pour lui, dit Paul, puis : Tu comprends, si je continue à rouler comme ça derrière lui, il va croire que je le suis, que je le pousse, que je le force, il va s'énerver, s'affoler, il risque de tomber. Alors double-le, dit Jeanne, ou reste entre les deux.

Entre deux cyclistes ?, moi ?, se dit-il, rester coincé entre deux cyclistes ?, plutôt crever.

Il appuie, double, puis, comme si de rien n'était, comme se disant tu vois, c'est pas plus difficile que ça, il se demande où il en était, se répond, reprend le cours de sa pensée sur le sujet de la pierre gravée, mais n'arrive pas à réfléchir, conduire ou réfléchir, il faut choisir, des idées lui viennent mais pas les siennes, les siennes ?, ça l'énerve de penser avec des idées

115

empruntées, mais sinon comment penser ?, l'idée même d'une pensée personnelle le fait plutôt sourire, autant ne pas penser, il laisse tomber, se contente de se dire des bêtises, ça se passe toujours comme ça quand il n'arrive pas à être intelligent, autant dire tout le temps.

Pourquoi tu ris ? dit Jeanne. Pour rien, dit Paul, je repensais à ce type et sa pierre, il est sûrement mort maintenant, ou alors le jour même, ce jour-là, il s'est peut-être balancé dans le vide, peut-être même qu'il a poussé quel-qu'un, qui sait ? A moins qu'il n'ait tout sim-plement voulu marquer son passage au sommet, dit Jeanne. Sans doute, dit Paul, mais ça ne répond pas à la question de savoir. Tu me fatigues, dit Jeanne.

Silence roulant. Radiodiffusant Mysti, non, Misty. Jeanne aimait bien Misty dans le temps. Paul aussi mais seulement avec Jeanne. Au-trement, non. Erroll Garner c'est bien mais bon, roulons.

Dis-moi, dit Jeanne. Quoi ? dit Paul. J'aimerais que samedi on fasse une promenade en bateau. Une promenade en bateau ? Paul répète une promenade en bateau : Une prome-nade en bateau ? Oui, dit Jeanne : Il faudrait quand même qu'on le prenne ce bateau, nous aussi. Pourquoi nous aussi ? dit Paul. D'accord, dit-il, mais à une condition. Laquelle ? dit Jeanne. Oh, rassure-toi, dit Paul, je ne vais pas te demander, après cette journée épuisante, de faire l'amour ce soir. Faisons l'amour ce soir, dit Jeanne, mais à une condition. Laquelle ? dit Paul. Je veux que tu me dises, et cette fois sans détours, quelle condition tu poses pour cette promenade, dit Jeanne, je te connais. Oh, rassure-toi, dit Paul : Je veux seulement qu'on revienne ici dimanche, je suis curieux de savoir ce que donne ce quintette. Pas de problème, dit Jeanne.

Dis-moi, dit Paul : Pour ce soir, tu parlais sérieusement ?

2.3

En attendant le bateau. Paul et Jeanne font un tour sur le port de plaisance. Ils passent en revue une suite en U de petits bateaux en attendant le gros. Ils reviennent par le quai opposé. On ne voit pas très bien comment. Mais si, regarde, c'est simple. Arrivés au bout de la branche droite du U, ils ont fait demi-tour, ont revu les mêmes bateaux à moteur ou à voile et à moteur, la tête à droite, dans le sens de la courbe du U, puis ont passé en revue les bateaux de la branche gauche, la tête à droite, puis ils ont fait demi-tour et sont revenus, la tête à gauche.

Une fille, pas mal d'ailleurs, assise à la terrasse du restaurant, se lève, vient vers eux en regardant Paul, tu la connais ?, dit Jeanne, non, dit Paul, s'approche, s'arrête devant eux, demande une cigarette à Paul, il ne fumait

même pas, Jeanne non plus, c'est extraordi-
naire, elle a tenté sa chance comme ça, au
hasard, elle aurait pu deviner le paquet dans la
poche de Paul mais le paquet de Paul est toujours dans le sac de Jeanne et ça, elle ne pouvait pas le deviner, même par métaphore, ce
n'est d'ailleurs pas le paquet de Paul, pas uniquement, c'est aussi le paquet de Jeanne, Paul
et Jeanne, on le sait, puisent au même paquet,
enfin, quand ils sont ensemble, ils sont
ensemble, on pourrait croire qu'ils sont seuls
ensemble mais non, ils ne sont pas seuls, ils sont
ensemble, Paul fouille dans le sac de Jeanne,
Jeanne se laisse fouiller comme une femme
qu'on fouille, Paul donne une cigarette à la fille,
puis du feu, parce qu'évidemment la fille n'a
pas de feu, la fille n'a que sa belle gueule pour
fumer, Paul lui donne du feu longuement, ça ne
plaît pas à Jeanne, elle regarde Paul donner sou-
riamment du feu à la fille, Paul est plutôt sensible au fait qu'une fille jeune et jolie l'ait
accosté, même pour lui piquer une cigarette,
c'est mieux que rien, il en est conscient, ne se
fait plus d'illusions, sans amertume, il a fait
l'amour hier soir après négociations.

Il s'arrête sur l'esplanade pour ôter le caillou,
un caillou est entré dans sa sandale, il secoue la
jambe, comme un grand chat qui a marché dans
l'eau, se plie en deux, tente de l'extraire avec
son doigt, le caillou est coincé sous le gros
orteil, ses verres de soleil glissent de sa poche

de polo, il les ramasse, souffle dessus, les accroche à ses lunettes de vue, accommode ses regards aux nouvelles nuances du ciel, laisse redescendre ses yeux, les pose sur la longue silhouette d'une femme adossée à la barrière de l'embarcadère, n'y prête pas davantage attention, n'a d'ailleurs aucune raison, cette femme n'est pas son genre, son genre c'est Jeanne.

Elle se tient debout près de la jetée, elle observe une famille assise, ils sont trois, en maillot de bain, plus un chien, un petit noir, une boule de poils, on voit à peine ses yeux, mais les yeux du chien voient, ils ne quittent pas le bâton, le père agite le bâton, le chien aboie, le père lance le bâton, le chien refuse d'aller le chercher, il engueule le père, l'air de lui dire espèce de con, pas dans la flotte, de l'autre côté, le fils se jette à l'eau, éclabousse la mère, ressort de l'eau, le bâton entre les dents, éclabousse la mère, la mère engueule le fils, puis le père, le père et la mère s'engueulent, le chien coupable se réfugie contre la mère, frétille, lèche, son bout de queue bat, qu'est-ce que tu regardes ? dit Paul. Rien, dit Jeanne, quelle heure est-il ? Il arrive, dit Paul.

Toute, toute, fait le bateau de loin. Me voilà, dit-il. On l'aperçoit. Il approche. Jeanne a un peu peur de monter là-dessus. Paul aussi. Ils se le sont dit en sortant de la capitainerie où une brave bonne tête de vieil homme à l'accent d'ici leur a vendu les billets aller-retour Lausanne, en leur répétant gentiment, Paul n'avait pas compris, Jeanne si, l'heure du changement à Yvoires. Approchons-nous, dit Jeanne. On a le temps, dit Paul.

Jeanne se dirige vers l'embarcadère. Paul reste à l'écart. Paul a horreur de se précipiter quand rien ne presse. Pour Paul, rien ne presse jamais. Ou plutôt, pour Paul, rien ne presse plus jamais. Ou plutôt, rien ne pressera plus jamais, pour Paul. Il regarde Jeanne marcher. Elle a toujours ce déhanchement irrégulier. Elle a bien fait de mettre sa jupe à rayures, son long pull bleu. La jupe est longue aussi. La longueur du pull recouvre en partie la longueur de la jupe, ça crée un léger décalé dans l'allure, ça l'allonge, l'amincit.

Elle s'arrête à l'entrée de l'embarcadère, le soleil la fatigue, elle ouvre son sac, du même rouge que les chaussures, sort des lunettes noires, accommode ses regards aux nouvelles nuances de l'eau, revient sur terre, remarque, sans s'y arrêter, elle n'aime pas les petits blonds, Paul est un grand brun, et puis elle pense qu'elle n'a plus l'âge, en quoi elle a tort, elle est encore très bien, même si l'ardeur de son grand brun ne prouve rien, ne la convainc en rien, elle se dit, il a envie de moi faute de mieux, en quoi elle a tort, puis revient sans y revenir sur ce jeune homme en jean se tenant debout, loin derrière une grande femme mince en gris, tout en gris.

Paul, en retrait, suit la manœuvre du bateau. Ça le fait penser à son amie Michèle, l'amie de Jeanne, leur amie, qui elle conduit un autocar. Elle travaille dans un asile. Elle est animatrice dans un asile. Elle met de l'animation dans l'asile, ça, on peut le dire. De temps en temps, elle emmène les débiles en promenade. Ensuite, il pense à cette jeune fille qu'il a vue conduire un autobus à soufflet sur la ligne qui passe en bas de chez lui. Question d'habitude, se dit-il.

Jeanne revient sur ses pas. Oh, elle n'a pas l'air content. Alors tu viens ? dit-elle. Je ne vois que deux chaloupes, dit Paul. Et alors ? dit Jeanne. Bah rien, dit Paul, mais ça prend combien de personnes un bateau comme celui-là ? Voir le panneau tout de suite en entrant.

Ils embarquent, disparaissent dans l'ombre de l'intérieur. Paul aperçoit le panneau, s'en approche, le lit en détail. Jeanne s'impatiente, des mômes cavalent partout. Allons nous asseoir à l'avant, dit-elle.

Elle fait quelques pas prudemment, comme tâtant, testant, le bateau ne bronche pas, ne bouge pas, le pont est ferme, puis avance franchement vers l'avant, Paul la suit. Longeant l'abri, le long de la vitre, il remarque la coiffure de la grande femme en gris. Elle est assise, de dos.

L'avant est en plein soleil. Face au drapeau, plusieurs rangées de bancs. Le drapeau flotte au vent. Le vent est fort, frais. Le bateau appa-

reille. Jeanne et Paul sont assis. Ils se parlent,
de temps en temps, un mot sur le temps, beau,
idéal, sur l'eau, le bateau, c'est agréable, émus
comme des enfants, ils sont émus, un peu
angoissés l'un et l'autre, mais bien, ils se sentent bien.

A la gauche de Jeanne, une vieille femme, en
combinaison de tissu léger, peut-être soie sau-
vage, avec des tennis vertes, le tissu est rouge
orangé, c'est très joli, offre son visage au soleil,
tend sa figure au vent, des mèches platine lui
fouettent les yeux, elle a l'air de sourire. Jeanne
la regarde, se disant en effet elle sourit.
Pourtant, elle est vieille. Elle est encore belle,
se dit Jeanne.

A la droite de Paul, un couple portugais avec
enfant. Le père se lève souvent, tourne autour
de la vierge à l'enfant, filme.

En face de Paul et Jeanne, deux types allon-
gés occupent à eux seuls deux grands bancs. Ils
sont blonds, jeunes, beaux, bronzés, en slip,
anglais, somnolent, ils ont dû faire la foire la
veille. L'un est fort comme un Turc. L'autre est
féminin. Paul, les regardant bien, se dit, le plus
efféminé c'est le fort. En effet, le plus fin dis-
paraît, revient avec un cône, une boîte de bière,
offre la glace au fort, ouvre la bière, boit, s'es-
suie la moustache, pose la boîte sur le banc,
prend son appareil, marche jusqu'au bout du
bateau, se retourne sous le drapeau, photographie le fort, Jeanne et Paul sont dans le champ.

Revenu, rembobinant, il en restait une, il range son appareil, regarde son copain comme s'il se demandait comment il est le plus beau, en vrai ou en photo, à l'œil nu ou dans l'objectif, en slip puisqu'il a éprouvé le besoin projectif de le revoir en diapo, on ne sait jamais, puis s'allonge de nouveau, miaulant de plaisir, sous les yeux gênés d'une femme coiffée d'un chapeau de paille, genre canotier à fleurs. Paul remarque que les deux petites filles ont le même chapeau que leur mère. Blondes aussi, les yeux bleus, de belles dents. Paul pense à la Bergman au temps de sa splendeur. La mère la rappelle un peu. Visiblement le père s'emmerde. Il n'arrête pas d'aller et venir. Il revient, reste debout, se penche, échange quelques mots avec sa femme assise du bout des fesses au bout du banc, puis regarde les deux mecs. Paul se dit, il va faire quelque chose. Jeanne regarde Paul, l'air de dire, ils exagèrent. Paul se dit : C'est comme avec les Noirs, on n'ose plus rien dire. D'ailleurs il s'en fout. Le mari aussi, il retourne se promener. La tête du fort est à peu de choses près sur les genoux de sa femme. Somme toute, le plus grand tort du fort est d'être fort. Celui du mari d'être lâche. La femme, de plus en plus gênée, regarde son mari s'éloigner. Elle caresse la joue d'une de ses filles, redresse le chapeau de l'autre, le sien s'envole. Ça devait arriver, songe Paul. Jeanne rit. La femme court après son chapeau, l'attrape, revient, hésite. Elle est sur le point de se rasseoir. Debout, son chapeau à la main, elle regarde le corps nu du fort. Paul regarde le regard de la femme, puis le slip minuscule, chargé comme une belle journée. Finalement non : Venez, les filles, dit-elle.

On arrive à Yvoires. Le château apparaît dans un bel écrin de pins verts. C'est beau, dit Jeanne, regarde comme c'est beau, et ces petites maisons, tous ces balcons fleuris.

Il est onze heures et demie.

Le bateau de Lausanne est à midi.

En débarquant, dans cette petite foule cheminant lentement, Paul revoit la coiffure de la femme en gris, Jeanne la brosse blonde du jeune homme qui l'indiffère, chacun se disant tiens, encore elle, encore lui.

Il est trop tôt pour déjeuner. D'ailleurs Paul n'a pas faim, Jeanne non plus, ça tombe bien. Auraient-ils faim qu'ils n'auraient pas le temps de déjeuner. Ou plutôt, auraient-ils faim, ils n'auraient pas le temps de déjeuner. Faisons un tour en ville, dit Jeanne.

Sur la place de l'église, les cloches sonnant, ils observent de loin la sortie d'un mariage, petit cône blanc au bras d'un grand trait mélancolique. Ensuite, dépêchons-nous, ils visitent rapidement le vivarium, Jeanne s'évanouit sous les yeux morts d'un caïman qui bâille depuis au moins cent ans, Paul la traîne sous un ventilateur : Ça va mieux ? dit-il. Oui, dit Jeanne, je ne sais pas ce qui m'a pris. Paul pense : Mariage ou caïman ? Tu n'es pas enceinte au moins ?

A midi, ils prennent le bateau pour Lausanne.

A Lausanne, il est trop tard pour déjeuner. Ils échouent dans une crêperie horriblement chère. Pour le même prix, des moineaux viennent picorer dans leurs assiettes, d'adorables petits oiseaux, avec des pattes, des plumes, un bec, Jeanne est ravie, Paul aussi mais ça va cinq minutes. Enervé, il tourne la tête, croit reconnaître la femme en gris assise à la terrasse du restaurant voisin. Il a envie, cette fois, d'en parler à Jeanne. Son émoi a besoin de la caution de Jeanne, mais Jeanne a du mal à s'entendre avec la serveuse sur le change des francs suisses. Elle ne comprend pas qu'il faille encore multiplier par quatre. Cinq cents francs pour quatre crêpes et une bouteille de cidre, normand d'ailleurs, ça fait quand même beaucoup, dit Jeanne. Paul s'énerve.

Il est trois heures et demie.

Le bateau du retour est à cinq heures.

Allons voir la cathédrale, dit Jeanne. Paul pense plutôt musée d'art contemporain mais soit, allons voir la cathédrale. Tu sais où elle est au moins ? dit-il. Au sommet de la ville, dit Jeanne, on l'apercevait du bateau.

Escalade de la ville. Il fait chaud. Paul se renseigne. C'est plus haut. Se renseigne de nouveau. Toujours plus haut. Vous êtes à pied? Eh oui. Dans ce cas, oh oui, vingt bonnes minutes.

Ah, enfin, le sommet, une église. Hélas, il ne s'agit pas de la grande cathédrale. Visitons celle-là, dit Paul. Elle est en travaux, dit Jeanne. En effet, l'église est encerclée par des échafaudages escaladés par des Arabes. Paul se renseigne. Le siège dure depuis six semaines. Paul repense aux croisades, aux croisés, au croissant, ça remet ça, à la belle étoile. Et la cathédrale ? dit-il. Il faut encore monter. Ils montent encore.

Montant encore, ils débouchent sur une petite place pleine de musique. Paul est sidéré par la beauté retranchée là. La musique, la fontaine au milieu de la place, l'escalier courant autour de la fontaine, les marches sont remplies de gens assis qui écoutent la musique, il y en a aussi d'assis sur le bord du trottoir, d'autres sont debout et parmi ceux-ci des novices en noir au teint gris, et moustaches.

Ecoute, dit Paul, de toute façon, il est trop tard : A supposer qu'on la trouve, ce qui franchement m'étonnerait, on n'aura pas le temps de la visiter. Restons là. Reposons-nous. Asseyons-nous.

Paul et Jeanne, dérangeant les gens, vont s'asseoir tout en haut sur la margelle de la fontaine, l'eau coule, Paul y trempe ses mains, elle est fraîche, les musiciens sont beaux, jeunes, quatre, un quatuor à cordes, ils jouent, successivement, un extrait des Sept dernières paroles, la transcription d'une fugue, puis le mouvement lent d'un quatuor médian, c'est bête mais Paul a la gorge nouée, c'est normal, quand la beauté vous surprend là où vous n'espériez plus la trouver elle est plus forte, elle fait mal.

Il est cinq heures moins le quart.

On a juste le temps, dit Jeanne. Paul lui sourit, l'air de lui dire, j'avais raison, n'est-ce pas ?, n'avais-je pas raison ? Ce con a les larmes aux yeux. Jeanne l'embrasse, l'air de lui dire mais si, mais si.

Ils dévalent la ville à longues enjambées, la main dans la main, s'entraînant, se retenant d'un trop grand élan, attrapent le bateau de justesse, pas le même. Pour revenir, ils s'asseoient à l'arrière, sur l'hélice, le pont vibre.

Le pont est désert, seul un autre couple occupe une table dans l'espace abrité, un homme et une femme, Paul ne les voit pas, il les verra bien assez tôt, il leur tourne le dos, il s'est assis en face de Jeanne, il est fatigué, le soleil le gênait.

Jeanne, derrière ses lunettes noires, observe le couple, elle a reconnu le jeune blond, elle a envie, cette fois, d'en parler à Paul, son émoi a besoin de la caution de Paul mais Paul, las de voir défiler la rive, décide de changer de place pour regarder le large, l'étendue vert sombre de l'eau, les montagnes qui au loin se dessinent, insinuant le lent doublement d'un cap ou de quelque détroit, il s'asseoit à côté de Jeanne, ramène ses regards sur le pont.

Tu as vu ? dit-il. Quoi ? dit Jeanne. Le type,

là-bas, avec cette femme en gris. Oui, dit Jeanne, et alors ? C'est lui, dit Paul. Qui ça, lui ? Bah lui, quoi, dit Paul, le type qui est venu chez nous, pour déboucher l'égout. Mais non, dit Jeanne, tu dois te tromper, il lui ressemble, c'est tout. Oui, peut-être, dit Paul, après tout, enfin quand même, tu te rends compte ?, si c'était lui ? Eh bien quoi ? dit Jeanne. Je ne l'imaginais pas avec une femme comme ça, dit Paul. Pourquoi ? dit Jeanne, qu'est-ce qu'elle a de spécial ? Rien, dit Paul, rien, enfin, je ne sais pas, enfin quand même, tu te rends compte ?, si c'était lui ?, il faut que j'aille voir ça. Il se lève. Ah non, dit Jeanne, non, écoute, reviens t'asseoir, veux-tu revenir ?

Paul navigue entre les bancs. A mi-chemin de l'espace abrité, il est assez près, il regarde, attentivement, très indiscrètement, éhontément, insistamment, comme un Noir qui verrait son premier Blanc, un brun son premier blond, reconnaît Lorettu, pivote, il l'a formellement reconnu. Il s'approche de la table, du couple. Cécile voit quelqu'un s'approcher, elle reprend ses mains, Lorettu lui tenait les mains, Lorettu avait réussi à lui prendre les mains et voici que quelqu'un. Il regarde Paul, reconnaît Paul. Bah ça alors, dit-il.

On est sur le même bateau, dit Paul. Bah oui, dit Lorettu. Vous étiez à Lausanne ? dit Paul. Bah oui, dit Lorettu. Vous aussi ? dit-il. Bah oui, dit Paul. Quand je vous ai reconnu, dit-il, je suis venu vous parler. Je vois ça, dit Lorettu, pour me dire quoi ? Je voulais vous demander, dit Paul. Quoi ? dit Lorettu. Ça vous ennuie si on vient vous écouter demain ? dit Paul. Bah non, dit Lorettu, vous savez où c'est ? Oui, oui, dit Paul, je vais même vous étonner, je sais aussi comment vous vous appelez. Lorettu regarde Cécile. Paul est jaloux du regard de Lorettu. Il regarde Cécile. Elle regarde Lorettu. Il est jaloux du regard de Cécile. S'il était vraiment fou, il se jetterait entre les deux. Se rend compte qu'il l'est déjà, qu'il est venu jusque là pour ça, son rôle d'intrus l'amuse, de fou qui a tout vu l'amuse, il a vu Cécile reprendre ses mains, il a tout de suite compris que Lorettu, il a envie de lui dire mon petit, t'es mal parti, c'est pas une femme pour toi, des conneries comme ça, même pas pour moi, surtout pas pour moi, alors toi, non mais tu te vois ?, il continue : Basile Lorettu, dit-il, c'est ça ?, puis : Avec ma femme ça nous a frappés, on s'est interrogés sur l'origine de votre nom, puis : Ma femme c'est la dame qui est assise là-bas. Lorettu regarde la femme qui est assise au fond, sous le drapeau suisse. Et cette dame-là, dit-il, montrant Cécile, comme s'il voulait dire moi aussi j'ai une femme, c'est Cécile, je vous présente Cécile. Regard de Paul sur elle. D'elle sur lui. Brrrrr. Enchanté, dit Paul, puis : Bon, bah, alors à demain.

Cécile et Lorettu ont visité le musée d'art

contemporain, se sont perdus de vue dans les salles, l'un s'attardant devant une chose, l'autre ailleurs devant une autre, comme on se retrouve, quel plaisir de la voir reparaître, elle le rejoint, il est planté devant une toile de Max Ernst intitulée Femme invisible, ou Une femme invisible, ou La femme invisible : enfin en voilà une, dit Lorettu. Ça a fait rire Cécile.

3.3

Elle a oublié son foulard. Elle n'en sait rien encore. Elle va s'en apercevoir en sortant de l'immeuble. Quand elle verra que la voiture est encore ouverte, le mot encore est souligné, elle se verra encore toute décoiffée, les cheveux en bataille comme une folle échappée, elle dira zut, mon foulard.

Elle sort de l'immeuble, voit la T.R.3 décapotée. Zut, mon foulard, dit-elle, puis, à sa fille : Attends-moi, je reviens, j'en ai pour une minute. La fille se demande ce que sa mère a oublié. Elle le demande à sa mère. Cécile, le dos déjà tourné, répond par un geste pressé puis rentre dans l'immeuble. La fille se dit bon, attendons, songeant, puis regarde sa montre, se disant, si on n'arrive pas de bonne heure, on n'aura pas de place pour s'asseoir, puis de nouveau fait les cent pas. Elle n'aura pas le temps d'en faire cent. On n'en fait d'ailleurs jamais cent. Plus de cent, moins de cent, jamais cent, ça n'existe pas. A moins de le faire exprès mais dans ce cas-là on n'attend plus rien ni personne. Ou alors on délire, on espère faire venir ce qui ne vient pas, ou tarde à venir, ou à revenir.

La mère revient, monte, ou plutôt descend dans la voiture, ces petites saloperies sont si basses. Et si dures. Cela dit, là-dedans, on se sent vivre. Pas vrai, la petite ? La fille embraye très fort. Elle a le sourire. Elle repense à Philippe qui en démarrant comme ça a perdu le pont arrière, le jour où. Elle était avec lui. Ils étaient arrêtés à un feu rouge, à côté d'un gros camion. Le chauffeur se penche et du haut de sa connerie lui dit : Avec quoi tu l'as gagnée ton anglaise décapotée, petit, avec ton cul ? Philippe regarde la petite, puis le routier, puis dit : Non, avec ma bouche, puis il éclate de rire, démarre très fort et boum. Les Triumph ont toujours été fragiles.

Cécile renonce à nouer son foulard sur la nuque, le noue finalement sous le menton. Sa fille la regarde, l'air de dire. Le lui dit. T'as l'air fin, dit-elle. Regarde devant toi, dit Cécile, finissant de glisser une mèche sous le foulard à hauteur de la tempe, puis regardant quelle tête elle a comme ça, ne se trouvant pas si mal que ça, se disant je ne suis pas si laide qu'elle le dit, plus vieille, c'est vrai, mais beaucoup mieux qu'elle, puis regardant sa fille, en comparaison, pour qui elle se prend cette petite pimbêche ?, ce petit tas de graisse, j'ai le droit de penser ça, après tout, elle, est-ce qu'elle se gêne ?, est-ce qu'elle se demande si elle me blesse ?, Cécile se dit des choses comme ça, regarde-toi, mais regarde-toi, pauvre naine, je me demande de qui elle tient ça.

Elle tourne le volant rudement, les mains à trois heures moins le quart, tassée dans le baquet, le nez levé au niveau du capot, on la voit à peine mais attention, elle va vite, très vite, affole les piétons, fait des queues de poisson, sort de la ville, rejoint la nationale, quitte la nationale. On la retrouve sur la route de montagne, le pied au fond, l'arrière bleu de la T.R.3 est plaqué à la route. Cécile est verte.

Philippe sait que tu te sers de sa voiture comme ça ? dit-elle. Bien sûr, dit la petite, c'est lui qui m'a demandé de la faire rouler. Sûrement pas comme ça, dit Cécile. Mais si, au contraire, dit sa fille. Et l'armée ? dit la mère, ça va ?, il s'habitue ? Ça va, ça va, dit la fille. Tu lui écris ? dit la mère. Non, dit la fille. Tu devrais, dit la mère, ça lui ferait plaisir, (tout ce dialogue est hurlé à cause du moteur, de l'échappement sport, des courants d'air), la fille en a assez d'entendre hurler sa mère, de répondre en hurlant, elle aime conduire et sa mère l'emmerde, elle croyait lui faire plaisir en l'emmenant voir son petit Basile et tout ce qu'elle trouve à faire.

Tu pourrais au moins lui envoyer un colis, hurle-t-elle, évoquant malgré elle le souvenir d'un cousin germain qui malgré lui faisait la guerre en Algérie, elle l'aimait bien, son cousin, même plus que bien, mais entre cousins germains, ça dégénère. Tu m'entends ? hurle-t-elle. Je t'entends mais avec quel argent ? crie la fille qui rentre de vacances. Cécile la regarde puis remet ça avec l'histoire du chèque. Ah non, je t'en prie, ne me reparle pas de ça, crie la fille qui se revoit dans l'agence, la honte, ne sachant plus où se mettre tellement elle avait honte, disant à sa mère laisse, écoute, viens, tant pis, ça fait rien, sa mère lui disant non non non, il n'en est pas question, ça serait trop facile, la fille disant à sa mère bon, moi je sors, je t'attends dehors, la mère disant c'est ça, c'est ça. La fille sort. La mère, plantée devant la porte, harponne le client qui entre, lui disant n'entrez pas dans cette agence, elle ne rembourse pas les billets qu'elle égare.

Le voilà, ton chèque, dit Cécile, elle est un peu rouge, un peu décoiffée, mais très digne, en gris comme toujours, très élégante, sa fille la regarde : C'est bien, dit-elle, c'est très bien, bravo, t'es contente de toi ?, qu'est-ce qu'y fout celui-là ?

Celui-là, c'est Paul.

Un Paul qui se demande ce que lui veut cette anglaise, appels de phares, il y a peut-être quelque chose qui cloche, portière entrouverte, pneu dégonflé, enjoliveur qui se voile, fumée, pot d'échappement qui se barre, frotte, fait des étincelles, je l'entendrais, se dit-il, la fumée je la verrais, quant à la portière, il se retourne, elle est fermée, l'autre aussi, ou alors elle est pressée, elle attendra, oh mais non, l'anglaise ne l'entend pas comme ça, elle klaxonne, qu'est-ce qui se passe ? dit Jeanne.

Cette anglaise me pousse, dit Paul. Comment sais-tu que c'est une anglaise ? dit Jeanne déjà jalouse. C'est une Triumph, dit Paul, une voiture anglaise. Ah, dit Jeanne, je croyais que tu parlais de la fille qui conduit. Elle a le type anglais, dit Paul : Conduite à droite, lunettes papillon, foulard sur la tête, puis : C'est rare les conduites à droite immatriculées en France. Alors elle est française, dit Jeanne. Pas forcément, dit Paul. Elle peut très bien, dit-il, bien décidé à soutenir n'importe quelle thèse, fût-elle erronée, comme par exemple le transit temporaire, mais. Nouveaux coups de klaxon, mêlés d'une série d'appels brefs, secs, nerveux, fous de rage. Laisse-la passer, dit Jeanne. Moi je veux bien, dit Paul, mais où ?

La Peugeot des Saint-Sabin arrive en vue de la clairière, on aperçoit le drapeau, le camp des Belges. Range-toi là, dit Jeanne. Paul se range. Les Belges, assis en tailleur autour d'un feu, se disent tiens, on a de la visite, puis reprennent en canon leur chanson à boire à boire. La T.R.3, vroum-vroumissant, double la Peugeot de Paul et Jeanne. Tous deux regardent passer la grande Cécile, très digne, lunettes, foulard sur la tête, méconnaissable. Pourtant. Paul a un doute. Jeanne non. Conduite à gauche, dit-elle. Oui, bon, d'accord, dit Paul, tu as vu la taille de la fille ?, dans le rétro je pouvais pas la voir. Tu démarres ? dit Jeanne.

Paul repart avec son doute, lui court après, accélère. Qu'est-ce qui te prend ? dit Jeanne.

4.3

Paul grommelle parce qu'un scooter occupe à lui seul une place entière. C'est le scooter de Fernand. Lorettu et Fernand sont venus sur le scooter de Fernand, Lorettu tenant les épaules de Fernand, Fernand pilotant, l'alto dans le dos, la valise bien calée entre le ventre de Lorettu et le dos de Fernand, la tête de Lorettu dépassant, vue de face à droite de la tête de Fernand, les yeux de Lorettu regardant la route, des yeux qui pleurent à cause du vent.

Paul se gare plus loin, coupe le contact, la radio se coupe, les portières s'ouvrent, Jeanne descend, Paul aussi, les portières claquent presque en même temps, après c'est le silence, ensuite le bruit des pas de Paul et Jeanne sur les cailloux.

La vallée semble plus belle mais aujourd'hui le temps est clair. Il n'y a pas que la vallée. Les montagnes aussi semblent plus belles. Il n'y a pas que les montagnes. Le monastère aussi paraît plus beau. C'est le même mais c'est un autre jour. Il n'y a pas que le jour. Paul devait avoir de la merde dans les yeux l'autre jour. Comme tous les jours mais aujourd'hui Paul n'est pas le même. C'est un autre Paul qui se présente au monastère, un Paul qui pense à l'autre Paul, le Paul de naguère.

Une autre Jeanne aussi, une Jeanne gênée comme l'autre jour mais aujourd'hui elle ne peut pas refuser d'entrer.

Ils avancent dans les allées gravillonnées, longeant des pelouses, des parterres de pensées, des buis taillés en cônes, en boules.

Tu sais où c'est ? dit Jeanne. Suivons la flèche, dit Paul, puis : Faudra faire attention à la marche : A l'entrée y a une fausse marche qu'est traître.

A l'entrée, une jeune fille adorable et rousse, au visage frais, tachedesonné, leur vend pour vingt francs le droit d'entrer, un malheureux ticket numéroté, séparé de son petit carnet à souches. Pour le même prix, vous avez droit, dit la jeune fille. A quoi ? dit Paul. Orangeade ou citronnade, au choix.

Paul se serait bien attardé, la jeune fille est si mignonne, tu ne trouves pas, Jeanne ? Jeanne s'impatiente.

Paul se serait bien attardé mais juste à ce moment-là, par la porte grande ouverte, remontant l'escalier de la crypte, Paul entend le son de la basse. La basse joue un thème qu'il connaît. La basse joue So what. Paul se dit tiens, en fait de quintette, c'est un sextette, enfin j'en sais rien, ils peuvent très bien le jouer en quintette.

La basse dit quelque chose et la rythmique répond : So, what. Paul reste là, cloué, incapable de bouger. Au passage suivant, c'est le trio qui répond, ils sont bien trois, alto, ténor, trompette. Quel son. Paul est extrêmement troublé, pour ne pas dire totalement bouleversé. Jeanne le pousse dans le dos. Avance, dit-elle. Chut, attends, tais-toi, écoute, t'entends ? Quand le trio répond, on entend aussi la voix des gens, qui murmurent, fredonnent doucement : So, what. Tu entends ?, les gens, ils chantent. Oui, j'entends, mais avance, dit Jeanne.

Paul descend l'escalier, lentement. Au rythme des marches qu'il descend, Paul découvre l'espace de la crypte, les musiciens, les gens, en fait de gens ce sont des jeunes, des filles, des mecs, qui chantent. Paul a la chair de poule, le crâne en sueur, le dos glacé. Jeanne le pousse. Il résiste, reste là, au milieu de l'escalier, ne sachant où regarder, ne sachant plus s'il doit regarder, écouter, rester là, avancer.

Lorettu prend le premier solo, s'envole, levant parmi les gens, des jeunes, des ouais, des oui, vas-y, ouais-ouais, des youpis, des petits cris, des sifflets.

Jeanne aussi est émue, ça faisait près de trente ans qu'elle n'avait pas remis les pieds là-dedans. Elle pousse Paul, lui dit tout bas, là-bas, elle lui désigne l'endroit, un endroit où ils pourront s'asseoir.

Ils avancent, coupent à travers gens, des jeunes, que des jeunes. Paul, gêné, un peu tremblant, regarde les musiciens. Lorettu carbure comme un dingue. Depuis Parker, Paul n'avait plus rien entendu de pareil, d'aussi technique, d'aussi fort, d'aussi inspiré. Paul, fasciné par le jeu de Lorettu, s'arrête. Jeanne le heurte, puis le pousse. Avance, dit-elle. Paul repart, progresse un peu. S'arrête encore, regarde de nouveau Lorettu, il vient de finir. Les gens, que des jeunes, applaudissent. Paul, encore debout, aussi. Lorettu voit Paul qui seul est debout devant Jeanne. Il fait signe à Paul. Paul lui répond par une sorte de coucou. Jeanne regarde Lorettu. Comme ça, ici, avec son instrument, elle lui trouve un certain charme. Lorettu, de son bras libre, désigne à Paul, et à Jeanne, il a vu Jeanne, un endroit, l'air de dire, allez vous mettre là-bas. Là-bas, c'est l'endroit où Cécile et sa fille sont assises. Là-bas ? semble dire Paul. C'est ça, semble dire Lorettu.

Le ténor a pris le second solo. La fille de Cécile tape dans ses mains, s'agitant, la taille mouvante, sur son tabouret. Elle voit Paul qui avance droit sur elle, se demande qui c'est, se dit, il est pas mal, mais ne voit plus les musiciens, se penche. Paul approche, s'arrête, s'incline pour les saluer, elle et sa mère. Elle cesse de taper dans ses mains, regarde sa mère. Cécile a reconnu Paul. Brrrr. Asseyez-vous, dit-elle à Jeanne. Jeanne, qui n'a rien entendu, se penche sur Cécile en souriant, puis, agitant les doigts près de son oreille, l'air de dire je n'entends rien, elle dit comment ? Cécile se penche en avant et crie : Vous voulez vous asseoir ?, en regardant Paul. Paul dit oui, s'asseoit, puis, comment allez-vous ?, mais personne ne l'entend. Faut dire aussi. La fille de Cécile pousse des cris, se dandine, encourage le ténor. Jeanne s'est assise. Cécile la regarde. Jeanne regarde Cécile. Cécile et Jeanne se regardent. C'est difficile de se regarder quand on ne peut pas se parler, semble dire Jeanne. Cécile semble comprendre ce que Jeanne semble dire. Elle regarde Jeanne avec un sourire, secouant la tête en cadence. Jeanne croit comprendre que Cécile aime le jazz. Pas du tout. Cécile n'aime pas le jazz. Elle aime bien Lorettu, c'est tout. Mais. Jeanne ne peut pas savoir que Cécile n'aime Lorettu que bien, ni qu'elle n'aime pas le jazz. Elle croit que Cécile aime le jazz. Elle a envie de lui dire moi aussi j'aime le jazz. Et. Faute de pouvoir le lui faire entendre, elle secoue elle aussi sa belle tête en cadence, les yeux dans les yeux de Cécile, tournant le dos au sextette. Paul aussi lui tourne le dos. Paul n'est pas venu pour regarder Cécile regardée par Jeanne, ni pour regarder Jeanne regardant Cécile, même si Jeanne regardant Cécile lui paraît ici plus belle que Cécile et que jamais. Il pivote sur son tabouret, tourne le dos aux trois femmes, une demi-femme, la fille, une femme, la sienne, une femme et demie, celle de, non, de personne, regarde le ténor, écoute le ténor.

Le tempo est moyen, la rythmique tourne bien, c'est fluide, on a envie de se balancer, mais pas dans le vide, non, on est trop bien, le buste se déplaçant par petites secousses très souples, voilà, comme ça, et retour, même chose de gauche à droite. Paul se retient, pas longtemps, le plaisir le fend, de haut en bas, de la tête qui frissonne, en passant par le cœur qui bat, au bas-ventre excité comme par une forte envie de pisser, on voit peu à peu Paul se balancer, faut dire que le ténor.

Le ténor joue bien. Oh, bien sûr, c'est pas Coltrane, mais quand même, il joue bien, même très bien, d'un style plus classique que Trane, rappelant plutôt à Paul Johnny Griffin, en moins bien, parce que Griffin, question invention, dans le genre improvisateur sans limites, on n'a jamais fait mieux, et on fera jamais mieux, on retrouve d'ailleurs dans la sonorité de Griffin le même moelleux, le même tremblé plaintif que chez Parker, se dit Paul, lorgnant le saxophone, se rappelant son poids, son contact, regardant les longs doigts du gars sur les touches de nacre, les clefs, le vernis du métal doré, les gravures du pavillon, c'est bon de revoir tout ça, de se rappeler tout ce qui va avec, c'est bon et c'est pas bon, ça fait du bien et puis à force de faire du bien, mais bon, ne pensons pas à ça, pense Paul, le ténor a fini, très applaudi, Paul applaudit aussi.

Puis c'est le tour de Georges, l'australien, qui a failli être australien, vous vous souvenez ?, les kangourous avec les gants de boxe, c'est lui, il a bien fait de revenir, il est venu avec sa femme Sophie, une petite brune aux yeux bridés et lunettes minces, usée par les fausses couches, elle doit être quelque part par là, oui en effet elle est là-bas, à côté de Fernand, elle lui parle, tandis que Georges.

Georges joue mieux, il a dû travailler, ses attaques sont plus franches, plus justes, il nous sert un mélange de Miles et Clifford Brown mais enfin, c'est pas mal, il arrive à construire, des moitiés de phrases mais enfin, ça paraît naturel, son swing tristement naturel arrange tout, c'est bien, mon vieux, continue, il a tendance à faire toujours la même chose en attaquant dans l'aigu la modulation du pont mais c'est bien, Georges, continue, la rythmique te suit.

Elle tourne rond, la cymbale cloutée de Claude a un beau son, il se balade en souplesse sur les toms, Nassoy basse et Patrick piano se regardent souvent, l'air de ne jouer qu'ensemble, mais mine de rien ils réagissent à ce que fait Georges, et les deux saxs l'écoutent, l'instrument en travers du ventre, et Paul, écoutant Georges, ne quitte pas le ténor des yeux.

144

Puis solo piano.

    solo basse.

        batterie.

Reprise. Les gens, que des jeunes, chantent de nouveau quand Lorettu et les deux autres, répondant à la basse, réexposent le thème, puis applaudissent, sifflent et c'est la pause. Lorettu pose son alto sur le piano, échange quelques mots avec le pianiste, sûrement une plaisanterie, on le voit rire, ça fait du bien de voir Lorettu rire, puis se dirige vers l'endroit où se trouvent Cécile, sa fille, Jeanne, Paul.

Il arrive. S'arrête en face de Paul assis. Paul se lève, lui tend la main, lui secoue la main à l'américaine. Paul aimerait dire quelques mots. Paul ne trouve rien à dire. Paul félicite Lorettu avec un regard, un sourire, une forte pression de la main. Lorettu secoue la tête, l'air de dire n'en jetez plus, reprend sa main, la tend à Jeanne en se penchant sur elle. Jeanne prend la main de Lorettu, se laisse doucement secouer la main, baisse les yeux sous le regard insistant de Lorettu. Cécile regarde Jeanne, puis Lorettu. La fille regarde sa mère, puis Paul, se dit il est pas mal, je me l'enverrais bien. Paul regarde Cécile. Paul, s'apercevant qu'il regarde Cécile sans l'accord de Jeanne, offre son tabouret à Lorettu, va en chercher un autre.

Revient avec, se trouve derrière Fernand. Fernand, penché sur les femmes, leur offre une goutte du whisky qu'il a apporté avec lui. Il en verse dans les gobelets des femmes, dans celui de Lorettu, se retourne, se heurte à Paul. Paul le regarde. La tête de Fernand rappelle à Paul la tête d'un altiste free : Vous êtes musicien vous aussi ? dit Paul dans le brouhaha des voix des jeunes. Pas du tout, dit Fernand, et vous ?, vous êtes avec nous ? Oui, dit Paul. Vous buvez un coup ? dit Fernand. Ma foi, dit Paul.

Une fois que tout le monde est servi, Paul regardant autour de lui, s'arrêtant sur plusieurs visages, souffrant depuis quelque temps d'une fringale de visages, après que chacun a dit son mot sur le goût du whisky, Fernand étant reparti rediscuter cette fois avec Georges et Sophie, plus personne ne trouve quoi que ce soit à dire, chacun regarde autour de soi, s'arrêtant sur divers visages.

Celui de la petite est agité par la gêne que lui causent ses chiens sur ses cils. Elle ne tient pas en place, la fille de Cécile. Sa mère a envie de lui dire, mais va donc avec les gens de ton âge. Elle ne dit rien, cesse de regarder sa fille, regarde Lorettu, l'air de lui dire, on n'a rien à leur dire à ces deux-là, Paul et Jeanne.

Paul aimerait dire à Lorettu combien il admire son jeu, si proche de celui de Parker, mais, se dit-il, je vais forcément en arriver à lui parler de Parker, ça va peut-être lui déplaire, moi j'avais horreur qu'on me parle de Coltrane en me parlant de moi, mais c'est toujours comme ça, on ne sait pas quoi dire, on ne sait parler que par comparaison, autant se taire, mais, n'en pouvant plus de se taire, il attaque Lorettu sur le jeu du ténor.

Mon mari aussi joue du ténor, dit Jeanne sans avoir consulté, ne serait-ce que du regard, Paul. Paul a horreur que Jeanne parle pour lui. Paul y pensait, certes. Il en avait envie. L'envie de dire à Lorettu, je jouais du ténor moi aussi, mais ne l'aurait pas dit, mais puisque c'est dit.

Ah bon ? dit Lorettu. Oui oui, dit Jeanne sans laisser Paul répondre. Paul lance des flammes à Jeanne. Cécile regarde Jeanne. Sa fille regarde Paul, se dit il est pas mal, je me l'enverrais bien. Lorettu aussi et lui dit : Et vous jouiez comme ça pour le plaisir ou bien ? Un peu en professionnel, dit Paul, disons semi-professionnel. Lorettu secoue la tête. Je n'ai jamais réussi à en vivre, dit Paul. On en crève plutôt, dit Lorettu. C'est ça, dit Paul, j'ai eu peur de ça. Ça jette un froid. Du coup, tout le monde se met à parler d'autre chose. Paul respire. Paul, comme par miracle, trouve à dire quelque chose à Cécile. Sa fille parle avec Jeanne. Jeanne, d'une oreille, écoute ce que lui dit la petite. De l'autre, ce que Paul dit à Cécile. Lorettu se lève.

Il circule parmi des têtes de jeunes assis, reçoit des bourrades au passage, des claques dans le dos, des ça va Basile ?, des regards de filles pas ordinaires, les regards, les filles, ça fait plaisir.

Circulant, rendant des sourires à droite et à

gauche, on a beau être comme Lorettu un type très simple, plutôt modeste, ça fait quand même du bien, il se dirige vers un groupe de causeurs debout.

Le ténor, cordon autour du cou, un peu cyanosé, est en train, s'appuyant à la statue du chevalier, au regard si doux, mais tout le monde s'en fout, de discuter avec Fernand, Georges et Sophie, Georges racontant sûrement ses aventures en Australie.

Lorettu lui tape sur l'épaule. Le ténor se retourne. Lorettu le tire par la manche, le prend à part, lui parle. L'autre écoute, tête basse, sourcils froncés, les yeux mobiles. Lorettu lui parle près de l'oreille. L'autre opine, puis relève la tête. Lorettu recule en se tournant légèrement, puis discrètement montre du doigt le dos tourné de Paul assis là-bas, puis de nouveau parle au ténor. Le ténor hausse les épaules, l'air de dire oui, pourquoi pas ?, non, ça me dérange pas, oui, si tu veux.

Lorettu revient par le même chemin de plaisir mais cette fois avec un drôle d'air. Revenu, il tape sur l'épaule de Paul. Paul se retourne. Lorettu lui dit : Ça vous dirait de jouer un peu avec nous ? Paul se sent rougir jusqu'aux oreilles, une panique ahurie s'empare de lui. Oh non, non, dit-il, non, c'est gentil mais non, je ne peux pas, je ne pourrais pas. Mais si, dit Jeanne, allez, vas-y. Te mêle pas de ça, dit Paul, s'il te plaît, hein ?, tu veux bien ? Jeanne fait celle qui n'entend rien. C'est une très bonne idée, dit-elle à Lorettu. Non, dit Paul, c'est pas une bonne idée, tu te rends pas compte, y a trop longtemps, j'ai tout oublié. Ça revient vite, dit Lorettu, alors c'est oui ?

Un mot sur ce oui.

Sans Cécile, sans la présence de Cécile, Paul n'aurait sans doute pas accepté. Seulement voilà, Cécile était là. Elle regardait Paul avec dans le regard ce truc qui pardonne pas, et Paul, se sentant regardé, s'est laissé prendre au regard de Cécile. Levant les yeux sur elle, Paul a rencontré le regard sec, dur, glacé, levant les yeux sur elle comme s'il n'y avait plus qu'elle qui puisse en décider, Paul a rencontré le mépris de Cécile.

Il accepte. Il se lève, regardant Jeanne, l'air de lui dire ma petite, tu me paieras ça. Cécile regarde Jeanne. Sa fille regarde Paul, puis Jeanne, puis Paul. Il suit Lorettu, il a du mal à marcher, ses jambes tremblent, certains condamnés se trouvent mal, on est obligé de les porter.

Lorettu le conduit près du ténor qui aussitôt lui tend la main. Paul la prend, sent la sienne toute moite dans celle du ténor. Alors vous jouez du ténor ? lui dit le ténor. J'en jouais, dit Paul. Y a longtemps ? dit l'autre qui du premier coup d'œil a mesuré le grand âge de Paul. Plus de vingt ans, dit Paul. Quel genre ? dit l'autre qui s'attendait sûrement à ce que Paul évoque en chevrotant le souvenir de Coleman Hawkins, ou de Ben Webster. Coltranien, dit Paul. Le ténor le regarde, l'air de dire évidemment.

Il va chercher son sax, revient avec. Paul regarde le sax qui approche. L'autre lui passe son collier. Paul met le collier. L'autre lui tend le sax. Paul le prend. Il avait oublié que c'était si lourd, ou alors c'est lui qui n'a plus de forces. Ses mains moites manquent de le lâcher. Il l'accroche, le suspend à son cou. Le collier lui scie le cou. Il le fait passer par-dessus son col de chemise. Aujourd'hui, il est en chemise, blanche, pantalon bleu. Il s'est changé. Comme si, pour lui, il était devenu possible de se changer. Comme si, pour l'occasion, le sens moral avait fini par faire des taches sur une tenue trop longtemps portée.

Il règle le collier, l'ajuste, assez bas, là, voilà, sous les yeux de Lorettu. Qu'est-ce qu'on fait pour l'anche ? dit Paul au ténor. Elle est forte, dit le ténor. J'aime autant, dit Paul, mais je veux dire. J'ai pas la gale, dit le ténor. Moi non plus, dit Paul, mais. On y va ? dit Lorettu. Attendez, dit Paul, quand même, laissez-moi un peu de temps.

Il embouche le bec, l'anche est humide. Il souffle, ne sort pas un son, on ne retrouve pas le son comme ça après vingt ans. Il le cherche, ses doigts commencent à courir sur les touches. On n'entend d'abord que le bruit des touches hachant le souffle, puis des notes sortent, de plus en plus claires, par bribes de phrase, de traits rapides, arpèges en harmoniques, gammes chromatiques descendantes venant heurter le fond du grave, puis ascendantes se précipitant, se ruant là-haut à l'assaut du suraigu, ça siffle un peu mais bon, ça ira, enfin espérons. On y va ? dit Lorettu.

Il fait signe à Georges qu'on y va, Georges fait signe aux autres qu'on y retourne, Patrick et Nassoy reviennent, Claude bouscule les cymbales en s'installant derrière sa caisse claire, tire sur la grosse, Nassoy relève sa basse, Georges purge sa trompette, Patrick assis devant le clavier se retourne les doigts, et Paul ? Paul, tout tremblant, maudissant Jeanne, suit Lorettu.

Les voix se calment. Oh, terreur. Les têtes se tournent, remarquent que le ténor n'est pas le même, se disent tiens, le ténor n'est pas le même, qui c'est celui-là ?, se demandent les têtes. Jeanne, là-bas, est tout émue. Elle est fière de revoir son Paul avec un Selmer sur le ventre. Elle est toute rouge. Ça fait sourire Cécile de voir Jeanne rougir comme ça. Jeanne n'ose pas se tourner carrément vers l'orchestre, elle se tord le cou pour voir son Paul. Finalement, tournant le dos à Cécile, elle pivote carrément. Maintenant, tout le monde attend, se demandant qui est le nouveau ténor.

C'est un ex de près de cinquante ans qui a peur. Qu'est-ce qu'on joue ? lui demande

Lorettu. Je ne sais pas, dit Paul, quelque chose de simple, un blues. Quel blues ? dit Lorettu. Un blues simple, dit Paul. Now's the time ? dit Lorettu. Parfait, dit Paul. Georges a entendu, il passe le mot, revient se placer à côté de Paul et Lorettu. Paul n'ose pas regarder devant lui, il sent sur lui le regard des têtes, là, juste devant lui. Lorettu s'avance d'un pas. Il a le sourire.

L'annonce est accueillie par des cris de joie. Now's the time est un thème qui a le don de mettre en joie. En effet, après l'intro de Patrick, dès que les saxs et la trompette attaquent, toute l'assistance explose de joie, ça crie, ça siffle, les uns se lèvent, se tortillent, se rasseoient, continuent de bouger sur leurs sièges, frappent dans leurs mains, un frapper spécial en deux-un-deux-un, certaines filles claquent des doigts, des doigts généralement très fins, en se mordant la lèvre, etc., c'est la joie, quoi, une vraie joie d'entendre ça, des types qui jouent comme ça, aussi bien que ça, et des types comme ça, y en a à la pelle, et Paul était un type comme ça.

Ça revient, doucement, progressivement, il retrouve, la peur se retire, s'estompe, se dissipe, ce qu'il avait perdu, croyait avoir perdu, convaincu de l'avoir perdu, se retrouve, on lui offre le premier solo, il le prend, allons-y, il y va, il se lance, au début il patauge un peu mais très vite ça va mieux, il joue de mieux en mieux, c'est bien, c'est même pas mal du tout, ça étonne Lorettu qui se retourne, regarde les autres, l'air de leur dire, il joue plutôt pas mal le vieux, il joue même bien, et comment qu'il joue bien, un peu trop coltranien mais bon, ça fait rien, ça fait rien, ça fait plaisir, c'est vrai qu'on dirait Coltrane, le même phrasé, merci, Paul, merci pour John, (Coltrane), c'est formidable de le retrouver, la même sonorité dure, rageuse, coléreuse, exaspérée, et qui pourtant se retient, le corps bouge à peine, on perçoit simplement de légers tremblements, le sax bien dans l'axe du ventre, le visage grimaçant mais figé, non, pas dans la peine, si, dans la peine, la joie de la peine, une joie féroce, c'est bien simple, plus ça va, plus on croirait entendre le Trane, Lorettu n'en revient pas, j'aurais peut-être dû jouer du ténor, se dit-il et pendant ce temps-là la fille de Cécile.

J'ai envie de danser putain, crie la fille de Cécile. Au mot putain crié, Jeanne fait un écart. Maman tu viens ? crie la petite à sa mère. Certainement pas, lui crie Cécile. Très bien. Dans le brouhaha qui swingue, la petite se lève, se dandine, elle danse déjà, se penche sur Jeanne, lui crie : Vous savez danser le be-bop ? J'ai su, crie Jeanne. Allez venez, lui crie la petite. Elle l'attrape par le bras, la fait lever, la tire derrière elle, Jeanne se laisse tirer, l'entraîne vers un endroit où peut-être elles vont pouvoir danser, mais oui, elles vont pouvoir, on s'écarte pour leur faire de la place, elle prend Jeanne par la taille et, après quelques petits pas sur place pour démarrer, elle la balance au bout de son bras.

LE SWING GAILLY

Les romans de Christian Gailly – comme *K.622*, où l'écoute commune d'un concerto de Mozart menait les deux personnages vers l'harmonie amoureuse – reposent toujours sur l'histoire d'un rythme. Ici, dans *Be-Bop*, ça swingue tout le temps dans le corps, l'esprit, le cœur de Basile Lorettu. Très tôt le matin, il joue dans sa chambre sur son saxophone puis bondit sur ses baskets à coussins d'air *« version rap des semelles de vent »,* court vers le Bird, le café de son ami Fernand qui passe sans cesse des disques de Coltrane : il suffit d'une expression, *« Voilà-Voilà »,* pour que Lorettu ébauche un thème. Il n'arrête jamais. La phrase de Christian Gailly non plus : syncopes de la syntaxe, changements incessants de tempo, interjections lancées comme des notes solitaires égarées, interrogations suspendues, apostrophes tantôt complices, tantôt moqueuses adressées par l'auteur à son personnage, retours brusques au discours intérieur, hypothèses multiples et haletantes que Lorettu émet sur la direction qu'il va prendre, ou regrette déjà d'avoir prise. On a rarement vu une phrase aussi légère, rapide, électrique, épousant d'aussi près les tourbillons d'une pensée toujours sur le qui-vive. Et c'est étincelant.

Mais il y a aussi de faux accords, de légers couacs dans la tête de Lorettu. La musique ne fait pas vivre – *« On en crève plutôt »* – et le voilà qui court, avec l'envie de pleurer, à la recherche d'un emploi, traverse la ZEP pour se rendre dans une entreprise d'assainissement où, à force de désinvolture brutale et de drôlerie provocatrice, il finit par impressionner le directeur et par obtenir un emploi. Pas très honorable... Mais on entend aussi en permanence une note plus basse, douloureuse, blessée, qui affleure parfois et donne au roman sa gravité sourde : Lorettu souffre de n'avoir jamais rien inventé, composé, de s'être contenté de copier, d'imiter, et même de plagier, Charlie Parker qu'il adore. Un seul soir, il se risque enfin à être lui-même, veut se faire entendre *« comme il entend, comme il s'entend »*.

Dans une scène superbe de victoire affolée d'abord, puis de liberté rageuse et d'abandon exalté, il ose enfin improviser. Le visage ravagé, brutalisé par la musique qu'il invente soudain, il fait pousser à son saxo des cris de fauve et *« répond à ses propres cris par des cris plus stridents encore »*. Il ne rouvre les yeux que pour les plonger dans ceux d'une femme. Début d'une histoire d'amour ? Peut-être. Car il s'agit, là aussi, de trouver avec l'inconnue le bon rythme, la juste mesure de silence et de paroles, d'adoration réservée et d'audace tâtonnante. Elles sont remarquables de délicatesse amusée, les pages où Christian Gailly dessine la chorégraphie hésitante de Lorettu, qui, sur le pont du bateau traversant le lac Léman, essaie de trouver la distance exacte qui lui permettra, sans la gêner, de regarder et d'aimer Cécile. Car « *il est bon d'être loin, et pas loin à la fois* ».

Mais Christian Gailly aime trop les changements de cap, les variations romanesques pour se contenter d'une ligne mélancolique unique. Au beau milieu du livre, il nous introduit dans une autre histoire qui n'a, apparemment, aucun lien avec la première. Celle de Paul et de Jeanne qui arrivent dans une villa, qu'ils ont louée pour l'été, au bord du lac Léman. Le romancier a recours à un rythme moins heurté, plus tranquille et plus fluide pour dépeindre le désœuvrement estival de Paul, ce presque quinquagénaire enfermé dans un code marital, qui, avec son horreur de la précipitation, s'abandonne à un mélange de bien-être, de vague plaisir mélancolique, d'énervement sensuel... Il ne sait comment (là aussi, c'est une question d'accord) exprimer son désir pour sa femme, qui lui apparaît à nouveau rayonnante dans sa petite robe à fleurs. Mais c'est l'arrivée de Lorettu (autre gag du récit, autre manière joueuse de nouer des fils que l'on croyait de prime abord tout à fait étrangers l'un à l'autre) qui sauve Paul de la dépréciation paresseuse de lui-même. Il suffit qu'ils se lancent tous les deux dans une conversation enthousiaste sur le jazz, partagent une même admiration pour Gerry Mulligan, Chet Baker et les versions inouïes, les versions ivres de Monk pour que se produise chez Paul un déclic, pour que renaisse en lui, qui jouait jadis du saxo ténor en semi-professionnel dans un quartette, le goût du jazz qu'il croyait éteint.

Et c'est cette remontée, cette résurrection d'une passion artistique qui est merveilleusement décrite dans la troisième partie du roman où la gamme des souvenirs, des émotions musicales l'emporte peu à peu sur les harmoniques sentimentales ou existentielles. Lorsqu'il écoute un quatuor à cordes qui joue sur la petite place d'Yvoire, Paul est sidéré par la beauté retranchée là, qui lui fait presque mal. Le plaisir bouleversé qui « fend » Paul dans son corps, dans sa vie, l'envie physique de jouer à nouveau, lorsqu'il assiste dans la crypte d'un monastère au concert auquel participe Lorettu, Christian Gailly nous les fait ressentir très concrètement grâce notamment à la méticulosité sensuelle avec laquelle il décrit un saxo dont la vision envoûte son personnage. Le romancier exprime très bien par la scansion plus ou moins précipitée de ses gestes la succession de la peur, de la lourdeur vaincue, de la griserie douloureuse et de la joie presque féroce chez Paul lorsque, à l'invitation de Lorettu, il monte à son tour sur scène et parvient à retrouver, en jouant un blues très simple, un phrasé proche de celui de Coltrane.

Tout finit autour, dans un brouhaha qui swingue, en be-bop survolté. Et Christian Gailly réussit, grâce à son art rapide, agile de romancier « free » à nous communiquer son euphorie, celle de la musique et de ses personnages. C'est si rare, si réjouissant, un livre écrit comme en dansant et qui donne envie de danser.

J.-N. P.
Le Monde, 1995

CET OUVRAGE A ÉTÉ ACHEVÉ D'IMPRIMER LE
HUIT MARS DEUX MILLE QUATRE DANS LES
ATELIERS DE NORMANDIE ROTO IMPRESSION S.A.S.
À LONRAI (61250) (FRANCE)
N° D'ÉDITEUR : 3967
N° D'IMPRIMEUR : 040366

Dépôt légal : mars 2004